オールシーズンの
メンズ服

金子俊雄

men's clothes for all seasons

日本ヴォーグ社

Contents

Basic ソーイングの基礎 ……………………………………………… P.4

サイズについて ……………………………………………………………… P.62
How to make ………………………………………………………………… P.65

Chapter 1 シャツ

- **A** レギュラーカラーシャツ ……………………………………… P.10
- **B** ワイドスプレッドカラーシャツ ……………………………… P.12
- **C** スタンドカラーシャツ ………………………………………… P.13
- **D** ウエスタンシャツ ……………………………………………… P.14
- **E** アロハシャツ …………………………………………………… P.15

Lesson 1　**A** レギュラーカラーシャツ ……………………… P.16

Chapter 2 カットソー

- **F** クルーネックTシャツ ………………………………………… P.22
- **G** VネックTシャツ ……………………………………………… P.23
- **H** ラグランTシャツ ……………………………………………… P.24
- **I** ポロシャツ ……………………………………………………… P.25
- **J** トレーナー ……………………………………………………… P.26
- **K** パーカ …………………………………………………………… P.27

ニット地について ………………………………………………………… P.28

Lesson 2　**F** クルーネックTシャツ ………………………… P.29
Point Lesson　パーカのファスナーつけ ……………………… P.31

| 特別付録 | ファッション用語集・洋裁用語集 | カバーをめくった本体表紙に入っています。|

この本に関するご質問は、お電話またはWebで

書名／オールシーズンのメンズ服
本のコード／NV70297
担当／加藤みゆ紀
Tel ／03-3383-0765（平日13：00～17：00受付）
Webサイト／「手づくりタウン」https://tezukuritown.com/
※サイト内（お問い合わせ）からお入りください。（終日受付）
【注】Webでのお問い合わせはパソコン専用となります。

★本誌に掲載の作品を、複製して販売（店頭、ネットオークション等）することは禁止されています。手作りを楽しむためにのみご利用ください。

Chapter 3 パンツ

　　L チノパン ……………………………………………………… P.34
　　M ストレッチチノパン ……………………………………… P.36
　　N クロップトパンツ ………………………………………… P.37
　　O ハーフパンツ ……………………………………………… P.38
　　P カーゴパンツ ……………………………………………… P.39

　　Lesson 3 　**L** チノパン ……………………………………… P.40

Chapter 4 アウター

　　Q カバーオール ……………………………………………… P.46
　　R ベスト ……………………………………………………… P.48
　　S スタジャン ………………………………………………… P.50

　　Lesson 4 　**Q** カバーオール ………………………………… P.52

Chapter 5 ホームウエア

　　T パジャマ …………………………………………………… P.58
　　U ステテコ …………………………………………………… P.59
　　V トランクス ………………………………………………… P.60

　　Point Lesson 　パジャマ・ステテコの前あき ……………… P.61

パターン(型紙)は「アパレルCAD」で製作しています

この本のパターンは、プロが使用する「CAD」と呼ばれる専門のソフトウェアを使って、パソコン上で引いています。

手で引くパターンと違って、数値を打ち込むだけで誤差のない正確なパターンが設計できる「CAD」。でも、この数値にこそ、パタンナーとして培ってきた経験値やセンスが問われます。
この本のパターンには、テーラーでの修業にはじまり、アパレルのメンズカジュアルのパタンナーとして長年メンズ服のパターンと向き合ってきた経験値を盛り込んでいます。

❶基準線、中心線、脇線など順を追って数値を入力して、パターンの線を引きます。

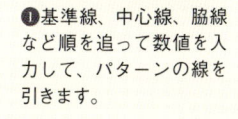

❷でき上がったパターンはプロッターという機械で実物大に印刷。印刷と同時に縫い代幅で切り取れるミシン目も入ります。

❸必ず、仮縫い用のシーチングか実際に使う生地でサンプルを作って仕上がりを確認。

❹ここで気になった部分はまたCADで細かく調整して、出力して仮縫いして……と思い描く形になるまでこの作業をくり返してパターンを完成させます。

Basic ソーイングの基礎

洋服作りには、用具や布の準備、型紙作りから裁断、ミシン縫いなど多くの工程があります。まずは、作り方の流れに一通り目を通し、工程の順序を確認してから縫い始めるとスムーズに取りかかることができます。作ろうとする服と似ている形の服を手元に置いておくと、縫うときに確認できるので参考になりますよ。最初は、少し難しいところもあるかもしれませんが、縫い進めていくとだんだんと手が慣れてくるので、ぜひたくさん作ってください。

【用具】
いつもの用具にプラスすると便利な用具、ニット地を縫うときに使う用具を紹介。

◆あると便利な用具

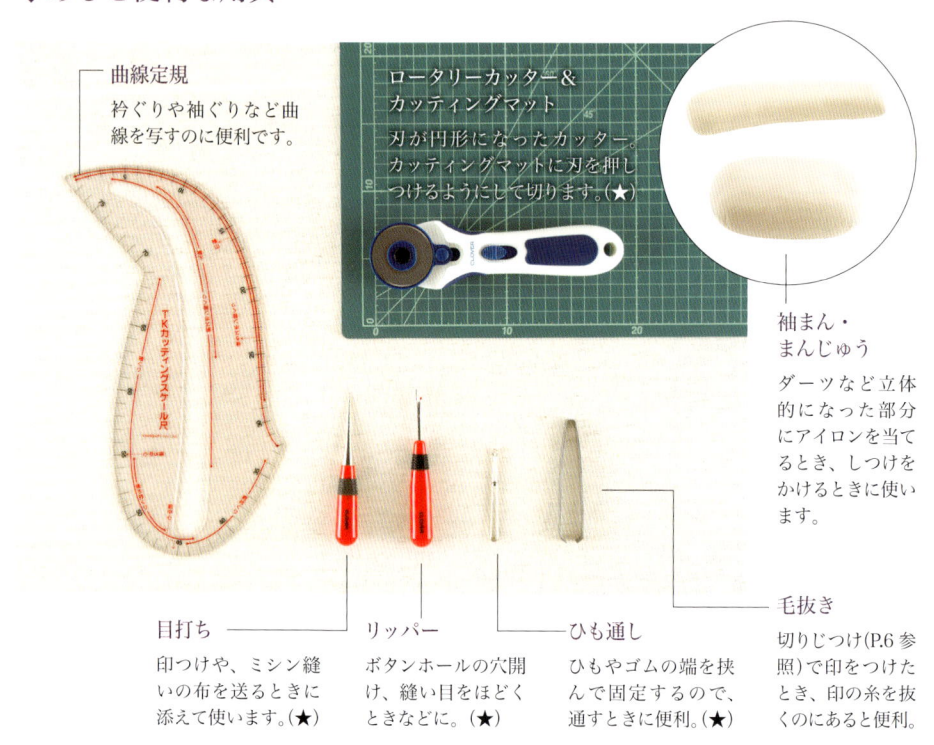

曲線定規
衿ぐりや袖ぐりなど曲線を写すのに便利です。

ロータリーカッター＆カッティングマット
刃が円形になったカッター。カッティングマットに刃を押しつけるようにして切ります。(★)

袖まん・まんじゅう
ダーツなど立体的になった部分にアイロンを当てるとき、しつけをかけるときに使います。

目打ち
印つけや、ミシン縫いの布を送るときに添えて使います。(★)

リッパー
ボタンホールの穴開け、縫い目をほどくときなどに。(★)

ひも通し
ひもやゴムの端を挟んで固定するので、通すときに便利です。(★)

毛抜き
切りじつけ(P.6参照)で印をつけたとき、印の糸を抜くのにあると便利。

◆ニット地を縫うときに使う用具と糸

ニット用ミシン針
針先が丸くなったミシン針。ニット地を編んでいる糸と糸の間に入り込み、糸を傷つけずに縫えます。(★)

テフロン押え
布を押さえる部分が樹脂でできた押さえ金。布をスムーズに送ることができます。

ウーリー

レジロン

ニット用ミシン糸
「レジロン」はニット地の伸びについていけるミシン糸。「ウーリー」はふわっとした風合いの糸で、下糸として使うのがおすすめ。

クリップ
ニット地はマチ針だとずれやすいので、マチ針の代わりに布を挟んで固定して使います。(★)

用具提供／(★)…クロバー、テフロン押え…KAWAGUCHI、ニット用ミシン糸…フジックス

【布】

裁断する前に水通しと地直しをして布目を通しておきましょう。

● 布は2種類に分けられます

布帛 たて糸とよこ糸で織られた布。糸の織り方は、平織り、綾織り、朱子織りなどさまざまです。基本的に伸縮性はありませんが、糸にスパンデックスなどの伸縮素材を混ぜたものはストレッチ性があります。

ニット地 糸を編んで作られているので、伸縮性がある布。糸の編み方で天竺、スムース、裏毛などの種類があります。

● 水通しと地直し

木綿や麻など、水に浸けると縮む可能性のある生地は、あらかじめ水通しをして縮ませておきます。水通しをしたあと、布目を正して陰干しにします。生乾き程度まで乾いたら、布目が直角になるようにアイロンをかけて整えます。

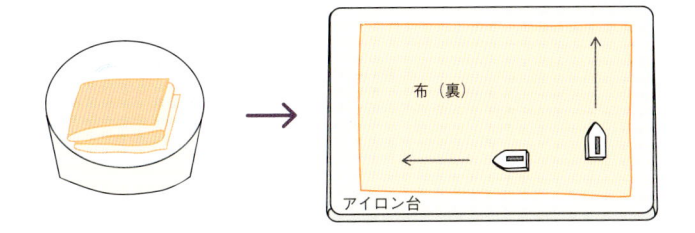

【アイロン】

アイロンはでき上がりを左右する重要なポイント。すべらさず、押さえるようにして当てましょう。

● アイロンの使い方の3つのポイント

❶ アイロンの温度
生地に合わせてアイロンの温度を調節。使用する生地の端にアイロンを当て、しわが伸びているか、生地を傷めていないか確認しましょう。

❷ 縫い目を落ち着かせる
縫い終わったら、そのつど縫い目にアイロンを当てて生地のうねりを落ち着かせます。アイロンを当ててから、次の工程に進みましょう。重要ポイントは、スチームを使ったら、ドライでアイロンをかけてその部分の湿気を飛ばすこと。

❸ 表に当たりを出さない
縫い代を割ったり、倒したりしたあと、表側に縫い代の当たりが出たときは、裏側から縫い代をよけてアイロンをかけます。

【接着芯】

作り方ページの裁ち方図を参照して、指定の位置に接着芯を貼ってから作ってください。

● 接着芯の役割

・表地の風合いを損なわずに服のシルエットをきれいに表現する。
・ポケット口など力のかかる部分の強度を補う。

● 種類と選び方

織物、ニット、不織布などの基布の裏に接着するための樹脂がついた接着芯。厚みや風合いもさまざまあるので、接着したい布の種類に合わせて選んでください。布帛には基布が織物タイプの接着芯、ニット地には基布がニットタイプを選びます。布帛でもストレッチ素材のものはニットタイプを使います。ただし、表地の素材や洋服のデザイン、用途によってはでき上がりの風合いが変わるので、生地の端に試し貼りをして風合いを確認してから使いましょう。

● 貼り方のコツ

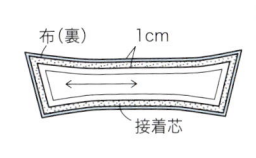

裁断のコツ
接着芯は熱で縮む場合があるので、全面に貼るときは周囲に1cm程度ゆとりをつけて生地を裁断します（粗裁ち）。接着芯は布目を整えて、粗裁ちした生地よりもほんの少し小さく裁断すると、接着時にアイロン台を汚しません。

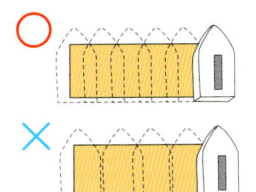

接着のコツ
温度・圧力・時間が重要なポイントです。アイロンの温度は中温に設定します。最初だけスチームをさっとだしてアイロンを押し当て、10秒程度押さえます。隙間がないように、全面にまんべんなくアイロンを当てます。

【型紙】

付録の実物大型紙の使い方について解説します。

● 写し方

作りたい作品とサイズを選び、目立つように印をつけます。型紙の上にハトロン紙を重ね、定規を使って型紙の線を写します。合印や布目線なども写し、パーツ名を書いておきましょう。

● 縫い代のつけ方

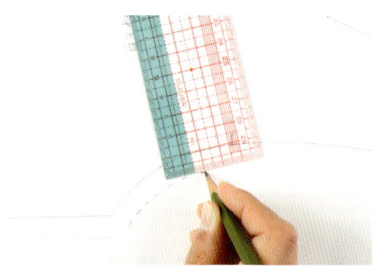

作り方ページに書いてある裁ち方図の寸法を参照し、でき上がり線と平行に縫い代線を引きます。方眼の入った定規を使うと平行に引きやすいです。

ななめになった角の縫い代のつけ方

袖口や裾、脇など、でき上がり線が斜めにぶつかる角の部分は、縫い代をでき上がりに折ったときに欠けたり余ったりしないように縫い代をつけます。

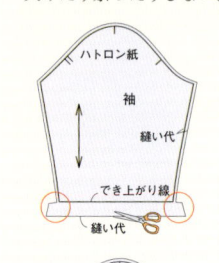

❶ 角以外の縫い代をつけ終わったら、袖口の角の周囲を多めに残して型紙をカットします。

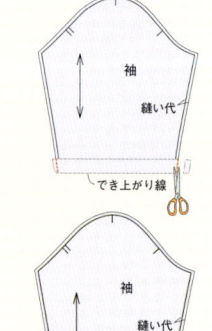

❷ でき上がり線で折り上げ、袖下の縫い代線に沿って余分をカットします。※三つ折りの指定になっている場合は、三つ折りに。

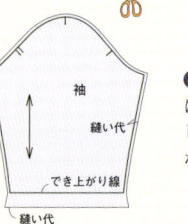

❸ これで、折ったときに縫い代がぴったりとしたきれいな縫い代になります。

● 型紙の線や記号

布目線　でき上がり線　わ　折り山線　見返し線　ステッチ　ダーツ　ボタン　ボタンホール　伸ばす　いせる

【柄合わせ】

ボーダーやチェックなど、柄のある布を使うときは柄合わせが必要です。

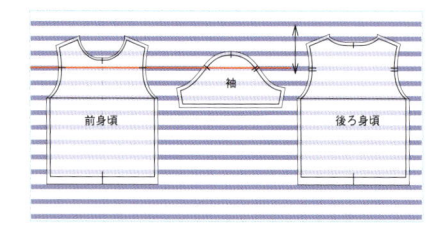

前身頃の袖ぐりに入っている合印を基準に柄を合わせます。まず、前身頃の合印位置の柄を決めます。次に、袖の前側の合印と前身頃の柄を合わせます。最後に後ろ身頃と前身頃の脇の柄を合わせます。チェック地を使う場合は前中心と後ろ中心の柄の位置も、同じ柄がくるようにそろえます。

【印つけ】

裁断したら、縫うときの目印になる印をつけましょう。

布用転写紙＋ルレット

生地を外表に合わせ、間に布用転写紙を挟んで型紙の線をソフトルレットで押さえます。でき上がり線は、角や合印、ダーツなどの要所のみ印をつけます。転写紙は使いやすいように長方形に切っておくと便利です。

布切りはさみ

縫い代に3mm程度の切り込みを入れて目印にします。中心などは斜めにカットすると、三角形のノッチができます。ただし、ダーツなどのでき上がり線より内側の印つけはできないので他の方法と併用しましょう。

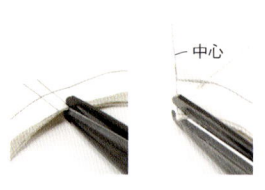

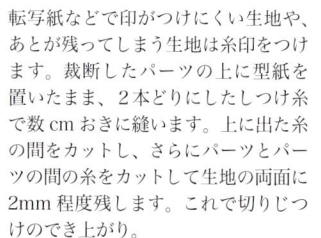

しつけ糸

転写紙などで印がつけにくい生地や、あとが残ってしまう生地は糸印をつけます。裁断したパーツの上に型紙を置いたまま、2本どりにしたしつけ糸で数cmおきに縫います。上に出た糸の間をカットし、さらにパーツとパーツの間の糸をカットして生地の両面に2mm程度残します。これで切りじつけのでき上がり。

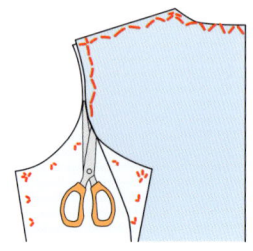

用具・糸提供／クロバー

【縫い代の始末】

布端はほつれてこないように、始末をします。

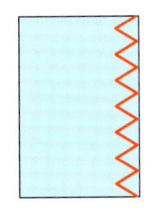

ジグザグミシン
家庭用ミシンの端かがり縫いで、布端を縫います。

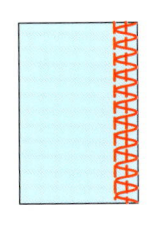

裁ち目かがり
ロックミシンで布端をカットしながら、布端をかがり縫いします。

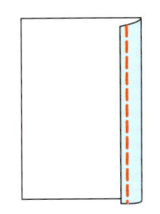

二つ折りミシン
布端を二つ折りにして縫います。

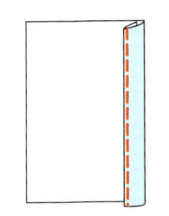

三つ折りミシン
布端を2回折り、山のきわを縫います。

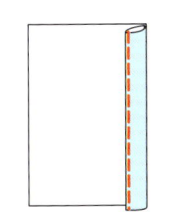

完全三つ折りミシン
布端を2回折る際、1回目と2回目の折り幅を同じにして折り山のきわを縫います。

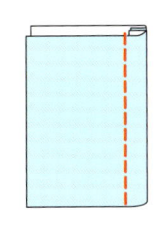

袋縫い
2枚の布を外表に合わせて縫い、裏に返して布端を包むようにして再度縫います。P.41ポケット参照

【縫い方のコツ】

縫うときのちょっとしたコツを覚えておくと、縫いやすさもアップします。

● 一定の幅で縫う

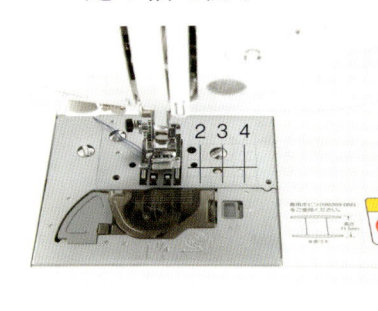

一般にミシンの針板には針の位置からの距離を示す目盛りがついています。縫い代幅を針板の目盛りに合わせて、布をセットして縫うと一定の幅で縫うことができるので、でき上がり線の印をすべてつけなくても指定通りの縫い代で縫えます。

● 糸調子

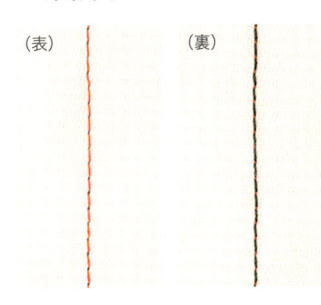

(表) (裏)

糸調子は上下の糸がちょうどよく引き合っているか確認しましょう。縫い目がつれていないか、糸がたるんでいないか、使う生地の端などで縫って、糸調子を確認してから本番に取りかかってください。

【ダーツ】

ダーツの縫い方とアイロンかけのコツを覚えて挑戦しましょう。

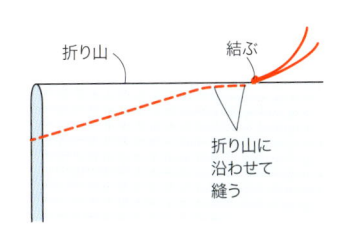

折り山　結ぶ
折り山に沿わせて縫う

ダーツ止まりは縫い目が自然に消えるように、折り山に沿わせて数針縫います。そのまま空ミシン（布がない状態で縫う）を1cmほどかけ、糸端を5cm程度つけて糸を切ります。糸端はダーツ止まりで2本まとめて結び、カットします。

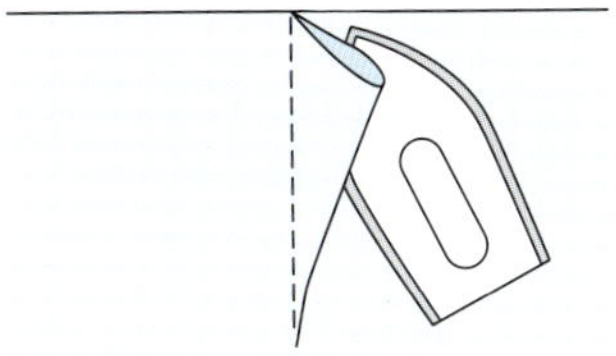

ダーツのアイロンのかけ方

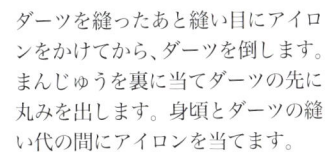

ダーツを縫ったあと縫い目にアイロンをかけてから、ダーツを倒します。まんじゅうを裏に当てダーツの先に丸みを出します。身頃とダーツの縫い代の間にアイロンを当てます。

【ボタン】

ボタンつけにちょっとプラスしたアイデアを紹介。

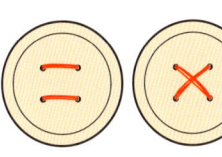

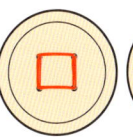

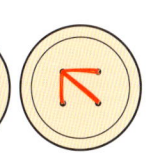

一番左のつけ方が一般的ですが、カジュアルなシャツやパンツには縫い糸を交差、矢印型、四角形にしても楽しい雰囲気が演出できます。ポイントとして糸の色を変えてもおもしろい。

ミシン協力…ブラザー販売

【ロックミシン】

ソーイングに慣れてきた方はロックミシンを使えば、さらにクオリティのアップした仕上がりに。

◆ロックミシンでできること

● 布端のかがり縫い

家庭用ミシンのかがり縫いよりも耐久性にすぐれた端始末ができ、既製品と同じ仕上がりになります。

● ニット地の縫い合わせ

伸縮性のある布は縫い合わせと端かがりを同時に行えます。縫い合わせには2本針4本糸のロックミシンを使用。

糸取物語／ベビーロック

◆縫い目と用途

	4本糸の端かがり縫い	3本糸の端かがり縫い	2本糸の端かがり縫い
縫い方			
針	2本	1本	1本
糸	4本 上ルーパー糸 下ルーパー糸 右針糸 左針糸	3本 上ルーパー糸 下ルーパー糸 針糸	2本 ルーパー糸 針糸
適する用途	・普通地～厚地の端かがり ・目の粗い薄地の端かがり ・伸縮性のある布の縫い合わせ	・薄地～厚地の端かがり	・薄地～普通地の端かがりで糸を節約したいとき ※ほつれやすい布には向かない
2本針4本糸の機種	○	○	○
1本針3本糸の機種	×	○	○
1本針2本糸の機種	×	×	○

◆針と糸の関係

	薄地	普通地	厚地
糸（端かがり）	80～100番	50～100番	50～60番
糸（縫い合わせ）	80～100番	50～60番	50～60番
針	11番	11番、14番	14番

◆差動について

差動送り機能を備えたロックミシンは、送り歯を針位置の前と後ろを別々に動かせるようにできています。送り歯の運動量を分けることで、伸ばし縫いと縮み縫いが可能になります。

縮ませながら縫う
N ニュートラル（=1）何もしない状態
伸ばしながら縫う

Chapter 1

shirt シャツ

A レギュラーカラーシャツ ……………… P.10
B ワイドスプレッドカラーシャツ ………… P.12
C スタンドカラーシャツ ………………… P.13
D ウエスタンシャツ ……………………… P.14
E アロハシャツ …………………………… P.15

メンズ服のこだわり 衿

レギュラーカラー
標準的なシャツの衿の形。台衿に衿を縫いつけ、縫い目で折り返します。

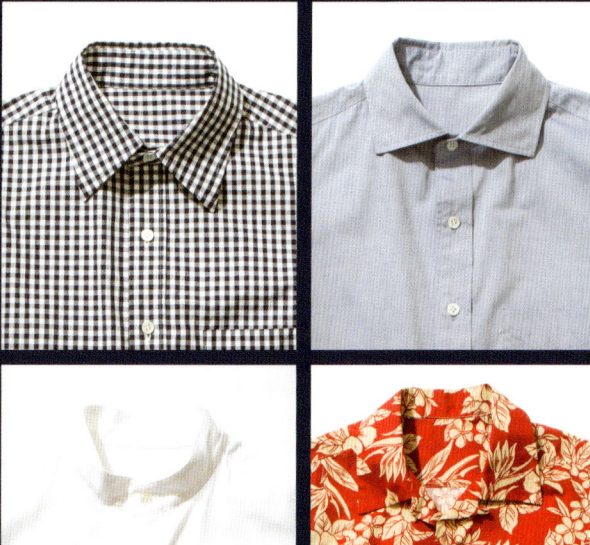

ワイドスプレッドカラー
衿のあきが広い角度に開いた形の衿。

スタンドカラー
折り返しがなく、首に沿って立ち上がった形の衿。

オープンカラー
上部を開けることで、見返しがラペルのように見える衿。開衿とも。

A | レギュラーカラーシャツ
regular collar shirt

How to make …P.16、66

後ろ身頃を表裏のヨークで挟んで縫います。前端は左右で仕立て方が異なるので裁断のときに注意が必要です。

regular collar shirt
1年中着られて
1番使えるシャツ

スタンダードな衿型のレギュラーカラーのシャツ。ボディはカジュアルシャツのパターンで、背中側のヨーク下にタックをたたみ適度なゆとりをもたせました。このパターンを使って、衿やカフスだけを同素材の白い生地で仕立てると、上品なクレリックシャツ（本体表紙の用語集参照）になります。

生地提供／cottonroll、ボタン提供／アイリスのボタンギフト

動きやすいように袖山を低くしたカジュアルシャツの形で設計。背中にタックを作ることで適度なゆとりが入ります。袖口のあきはサイズを調整できるように、ボタンを2個並べてつけます。

B ワイドスプレッドカラーシャツ
wide spread collar shirt

How to make …P.67

カフスのカーブはゆるやかなライン
にしてドレッシーな印象に。胸ポケットはポケット口を内側に折り返
し、丁寧なステッチを施しています。

wide spread collar shirt
カジュアルでも、
ビジネスシーンでも着映えする

衿の開きの角度が大きいのがワイドスプレッドカラーのシャツ。元はトラディショナルなドレスシャツとして人気のパターンですが、シャンブレー地を使って、衿元に遊び心のあるカジュアルシャツに仕立てました。このままビジネスシーンで活躍する1枚にもなります。

生地提供／オカダヤ新宿本店、ボタン提供／アイリスのボタンギフト

C | スタンドカラーシャツ
stand-up collar shirt

How to make ...P.**72**

stand-up collar shirt
すべてのシャツの衿は
ここからできている

衿が立ち上がったスタンドカラーシャツ。普通の衿と一味違って新鮮な印象です。真っ白なオックス地で、コーディネートしやすい1枚に仕上げました。ボタンを上まで閉めるとかっちりとして見えますが、開けてラフに着こなすこともできます。

生地提供／オカダヤ新宿本店、ボタン提供／アイリスのボタンギフト

D | ウエスタンシャツ
western shirt

How to make …P.68

western shirt
コーディネートの
メインポジション

別名カウボーイシャツとも呼ばれ、肩のヨーク切り替えとドットボタンがデザインの特徴。ドットボタンは、カウボーイが落馬して馬具に引っかかってもすぐにボタンが外れるように使われたそう。ヨーク、ポケット、カフスをリバティプリントなどの柄布で切り替えても楽しい。

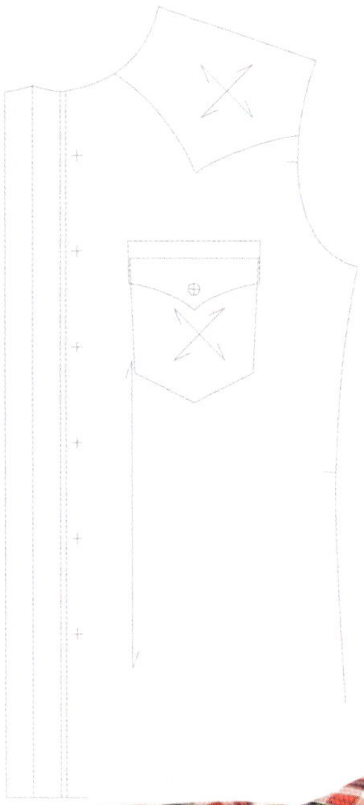

1枚の生地でもアクセントがつけられるように、ヨーク、ポケット、カフスは生地をバイアス方向に裁断しました。

生地提供／fabric-store、
ボタン提供／
ism－ハンドメイド・副資材

E | アロハシャツ
aloha shirt

How to make ...P.70

aloha shirt
大胆な色使いを
おもいっきり楽しむ

ハワイアンプリントのシャツ生地で作ったオープンカラー（開衿）シャツ。リラックスした着心地で、夏のふだん着やリゾートウェアに欠かせない一枚です。無地やチェック柄で作れば、クールビズスタイルにも。レギュラーカラーシャツの袖を使って長袖シャツにもできます。

前端は見返し分を折り返して作る仕様です。背中のタックは両サイドに作っています。

生地提供／パウスカートショップ、
ボタン提供／アイリスのボタンギフト

Lesson1 　　　　　　　　p.10
A レギュラーカラーシャツ

実物大型紙　1面【A】

※材料、裁ち方図、でき上がりサイズはP.66参照。
※ここではわかりやすいように布を変え、目立つ色の糸を使用しています。

1. ポケットを作り、つける

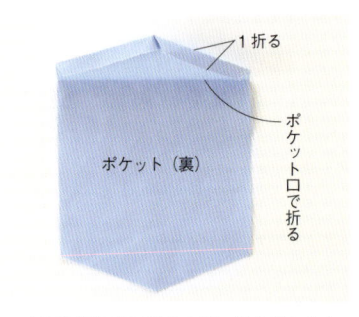

❶ ポケット口と折り返し部分の縫い代を折ります。

❷ 折り返し部分の端にコバステッチをかけます。

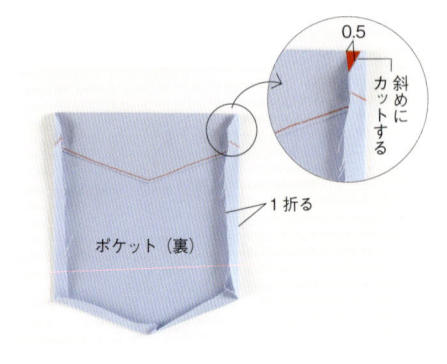

❸ ポケットをでき上がりに折り、ポケット口の縫い代を0.5cmほど斜めにカットします。

2. 前端を縫う

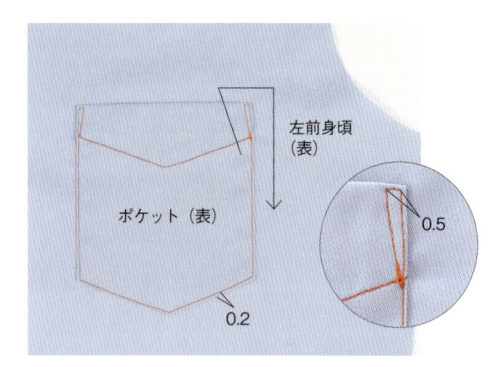

❹ 左前身頃のポケットつけ位置にポケットを縫いつけます。ポケット口の両端は三角に縫って補強します。

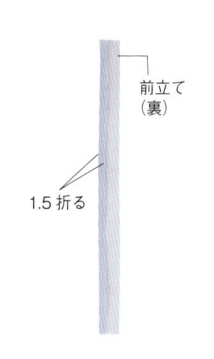

❶ 前立ての脇側の縫い代を折ります。

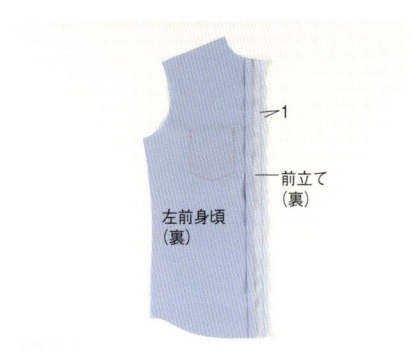

❷ 左前身頃の裏側に前立てを重ねて縫います。

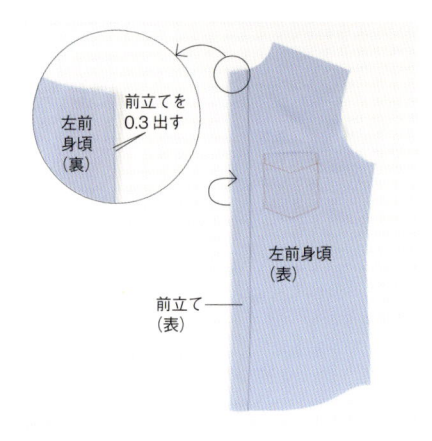

❸ 前立てを表側に折り返します。このとき、前立てを身頃より0.3cm出して折ります。

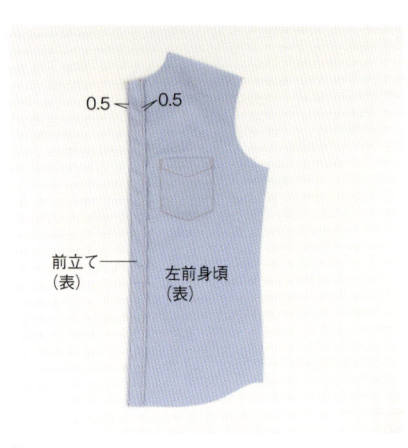

❹ 前立ての両端にステッチをかけます。

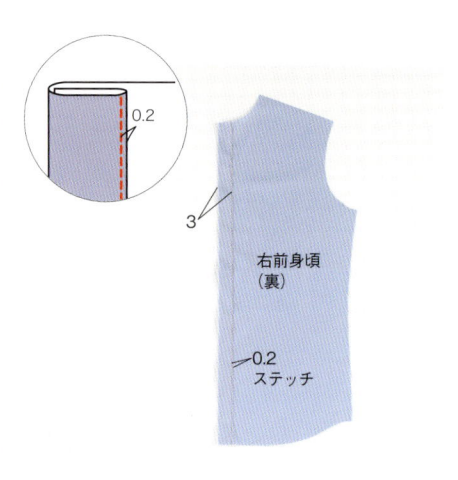

❺ 右前身頃は、3cm、3cmの完全三つ折りにして、ステッチをかけます。

3. 後ろ身頃を作り、肩を縫い合わせる

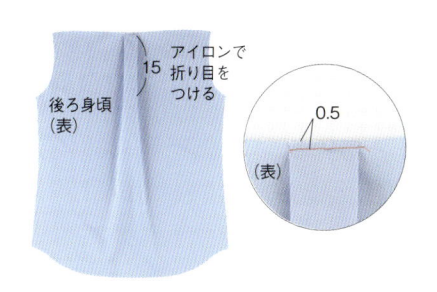

❶後ろ身頃のタックをたたみ、15cm程度アイロンで折り目をつけます。縫い代内を縫って仮止めします。

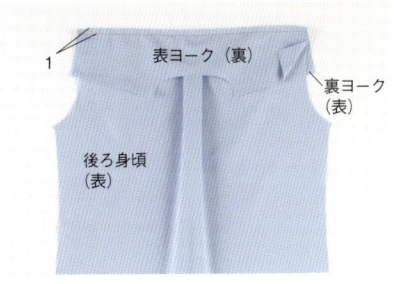

❷後ろ身頃を表・裏ヨークで挟んで縫います。

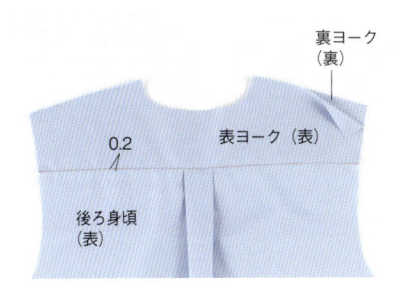

❸表・裏ヨークを起こし、コバステッチをかけます。

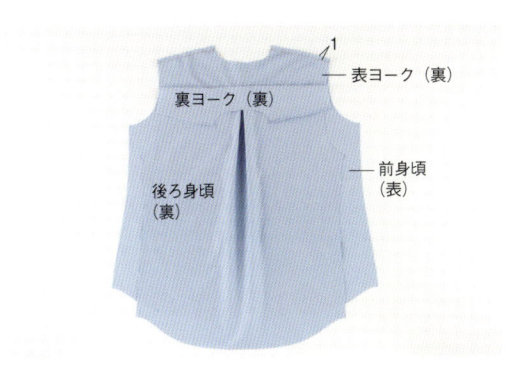

❹表ヨークと前身頃を中表に合わせて肩を縫います。このとき裏ヨークはよけておきます。

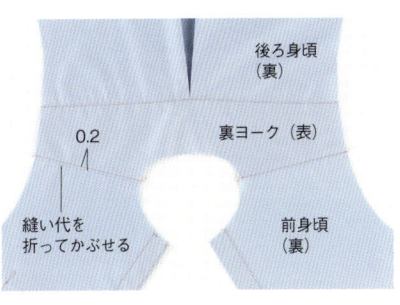

❺裏ヨークの肩の縫い代を折って肩の縫い目を隠すように重ね、表からコバステッチをかけます。

4. 衿を作る

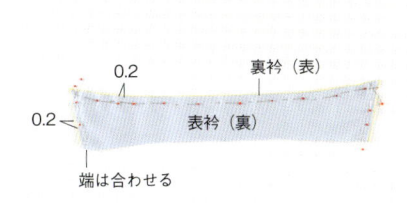

❶表衿と裏衿を中表に合わせて表衿を0.2cm内側にずらし、衿先にゆとりを集めてマチ針を打ちます。

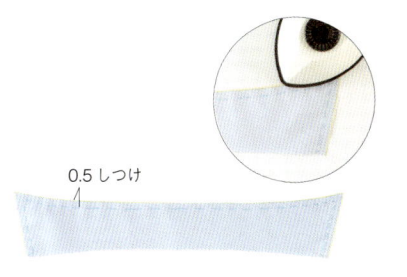

❷しつけをかけて仮止めします。縫い代にアイロンを当てて落ち着かせます。

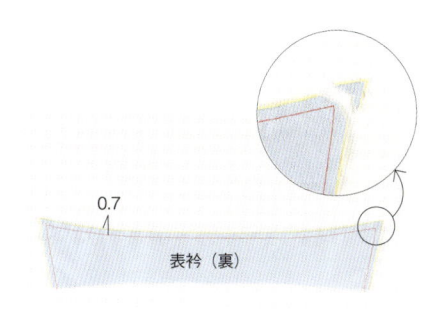

❸表衿と裏衿を縫い合わせます。衿先の縫い代をカットします。しつけ糸は抜きます。

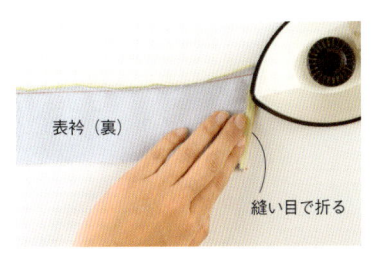

❹表衿を上にして置き、縫い代を縫い目で折ります。

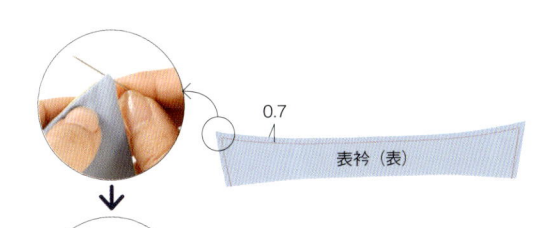

❺衿を表に返します。衿先は、手縫い針に糸を通して表衿の先を1針すくい、糸を引っぱります。衿先が鋭角になるように何度かくり返します。形を整えて表衿側からステッチをかけます。

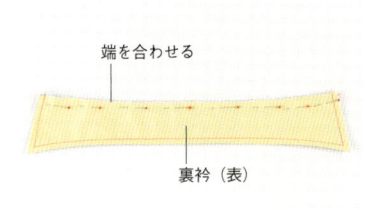

❻裏衿の端を表衿の端に合わせてマチ針を打ち、表衿にゆとりを作ります。

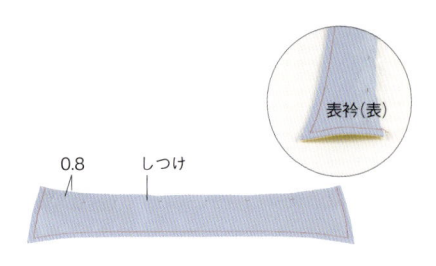

❼しつけをかけます。横から見ると、衿が少しカーブして表衿にゆとりが入っているのがわかります。

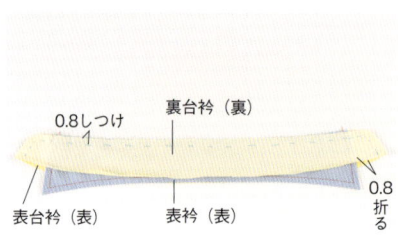

❽裏台衿の身頃側の縫い代に折り目をつけておきます。表衿と裏台衿、裏衿と表台衿を中表に合わせてしつけをかけます。

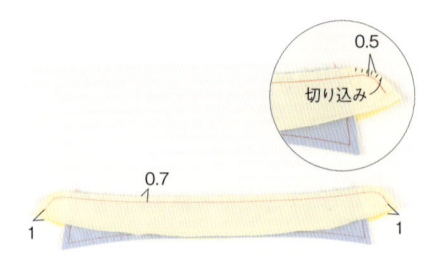

❾台衿をでき上がり線まで縫います。台衿の両端のカーブの縫い代をカットし、切り込みを入れます。しつけ糸は抜きます。

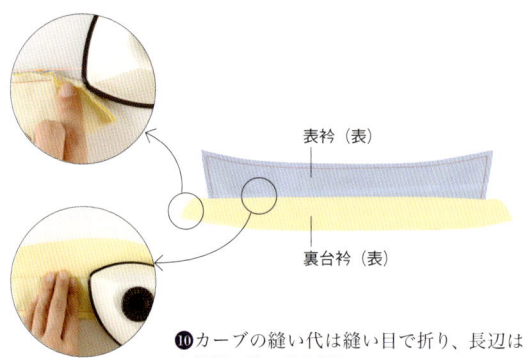

❿カーブの縫い代は縫い目で折り、長辺は台衿側に縫い代を倒して、アイロンをかけて台衿を表に返します。

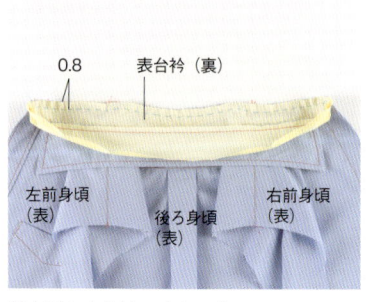

⓫身頃と表台衿を中表に合わせてしつけをかけます。

⓬身頃と表台衿を縫い合わせます。縫い代を台衿側に倒してアイロンをかけます。しつけ糸は抜きます。

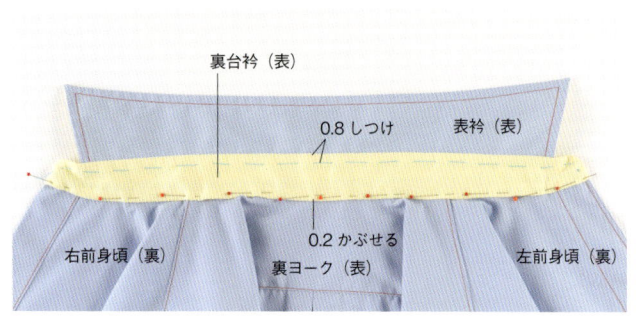

⓭台衿を起こし、上側にしつけをかけます。裏台衿の折り山を縫い目に0.2cmかぶせてしつけをかけます。

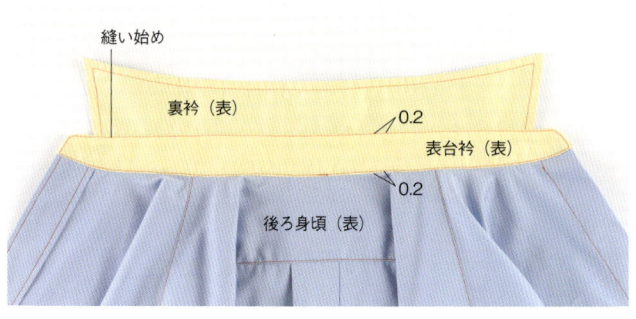

⓮衿のかげになる位置から縫い始め、台衿の周りにコバステッチをかけます。しつけ糸は抜きます。

5. 剣ボロあきを作る　※右袖は左右対称に同様に作ります

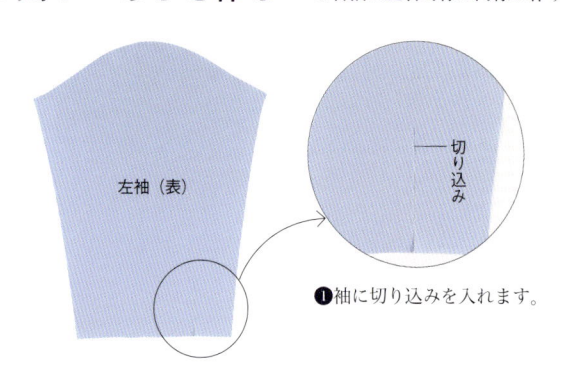

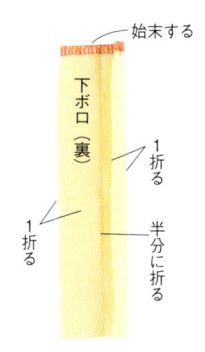

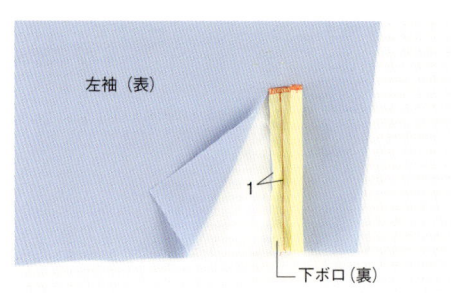

❶袖に切り込みを入れます。

❷下ボロの上端を始末して縫い代を折り、さらに半分に折っておきます。袖の切り込みと下ボロを中表に合わせて縫います。

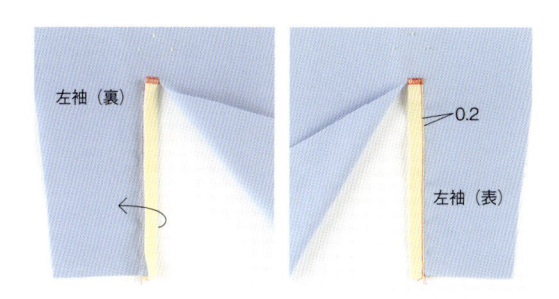

❸袖の切り込みを下ボロでくるみ、下ボロにコバステッチをかけます。

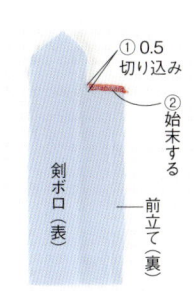

❹剣ボロに切り込みを入れて、写真のように端の始末をします。※ジグザグミシンは切り込み不要。

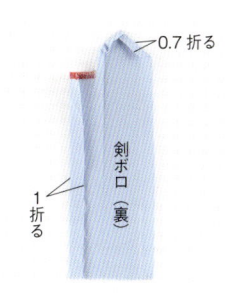

❺剣ボロの先と端の縫い代を折ります。

❻剣ボロの折り山で折ります。

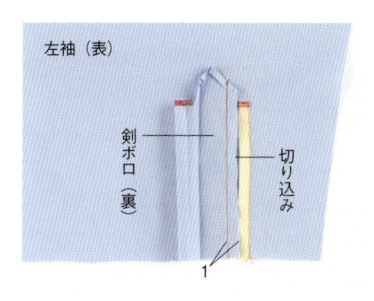

❼袖の切り込みと剣ボロを中表に合わせて縫います。

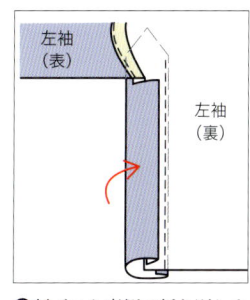

❽剣ボロを裏側に折り返します。

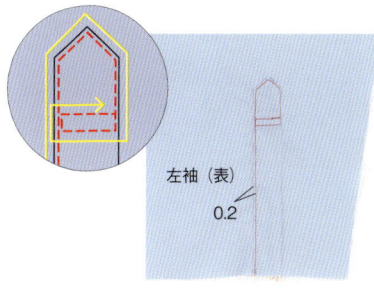

❾表から剣ボロにステッチをかけます。

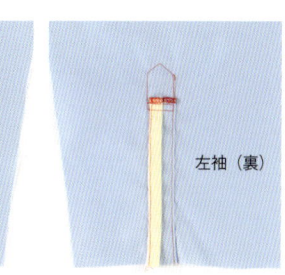

6. 袖をつける　※右袖も同様につけます

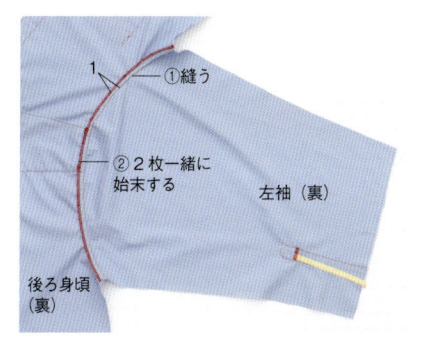

❶身頃と袖を中表に合わせて縫い、縫い代は2枚一緒に始末して身頃側に倒します。

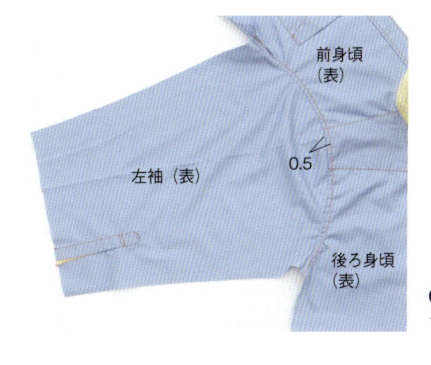

❷表からステッチをかけて縫い代を押さえます。

7. 袖下から脇を縫う

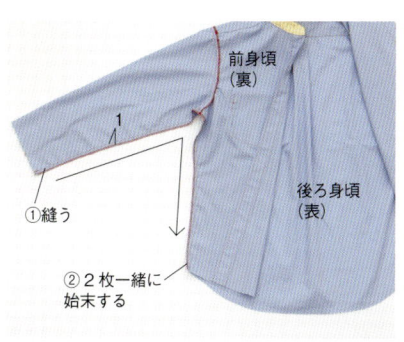

❶身頃と袖をそれぞれ中表に合わせて袖下から裾まで続けて縫い、縫い代は2枚一緒に始末して後ろ側に倒します。

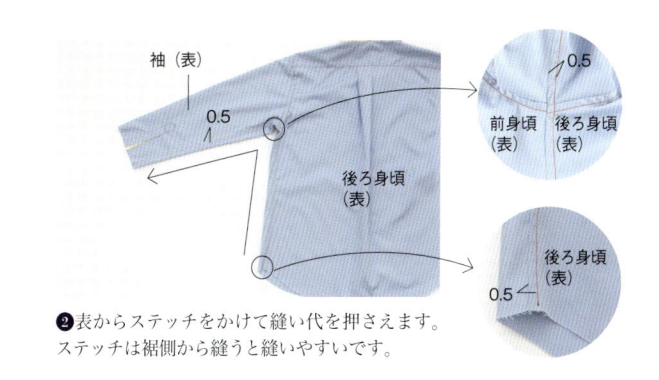

❷表からステッチをかけて縫い代を押さえます。ステッチは裾側から縫うと縫いやすいです。

19

8. カフスを作り、つける　※右袖は左右対称に同様に縫います

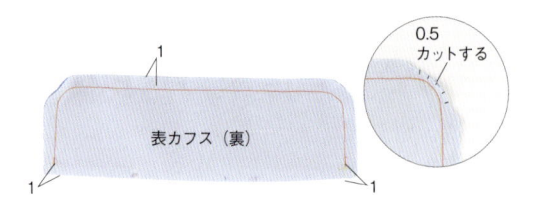

❶表・裏カフスを中表に合わせ、でき上がり線まで縫います。裏カフスの袖つけ側の縫い代を0.8cmで折って、折り目をつけておきます。カーブの縫い代は0.5cmカットして切り込みを入れます。

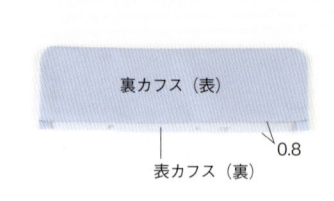

❷カフスを表に返します。裏カフスは縫い代を内側に折り込みます。

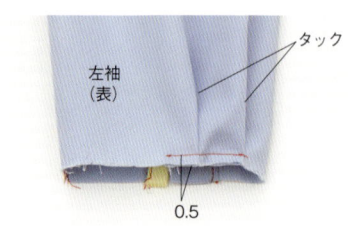

❸袖のタックをたたみ、仮止めします。

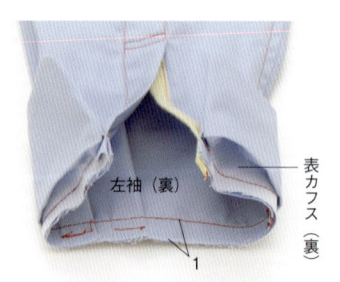

❹袖と表カフスを中表に合わせて縫います。

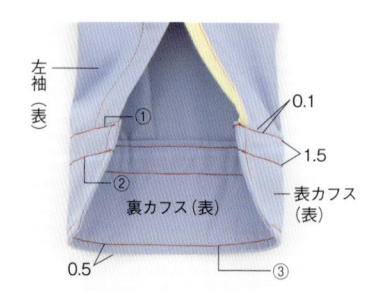

❺カフスを起こし、袖とカフスの縫い代をカフスの内側に入れます。表カフス側からカフス周りにステッチを3本かけます。

❻ボタンホールを作り、ボタンをつけます。

9. 裾を縫う

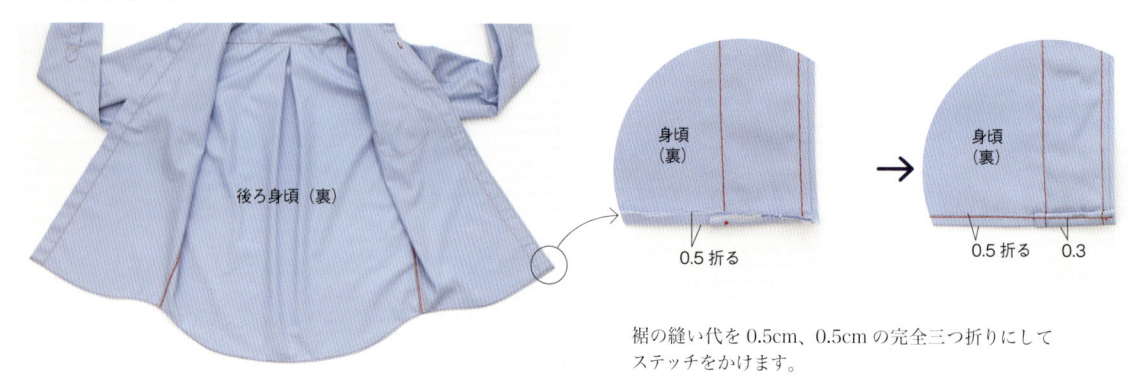

裾の縫い代を0.5cm、0.5cmの完全三つ折りにしてステッチをかけます。

10. ボタンホールを作り、ボタンをつける

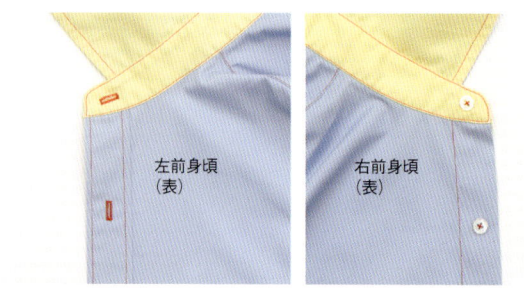

左前身頃にボタンホールを作り、右前身頃にボタンを縫いとめます。

でき上がり

Chapter 2
cut and sewn
カットソー

F クルーネックTシャツ P.22
G VネックTシャツ P.23
H ラグランTシャツ P.24
I ポロシャツ P.25
J トレーナー P.26
K パーカ P.27

メンズ服のこだわり シルエット

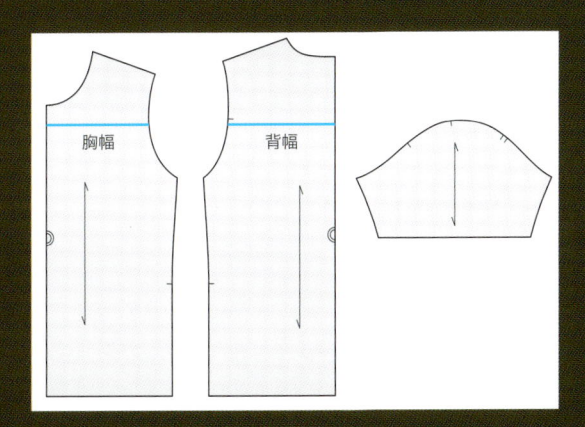

プルオーバーの場合、細く見せるために身幅や袖を小さくしてしまうと、着るときに窮屈で着にくくなってしまいます。鎌底(アームホールの底)を少し浅くして袖を細く、短かめにして若々しく見えるようにしました。そして、着やすくするために胸幅と背幅の差をつけて立体的にして、たたみやすさよりも着たときのかっこよさを重視して作っています。

F | クルーネックTシャツ
crew neckline T-shirt

How to make …P.29、73

crew neckline T-shirt
こだわりのある
シンプルデザイン

定番のクルーネック（丸衿）Tシャツを、ほどよく細身ですっきり見えるスタイリッシュなシルエットで作りました。身体に合ったサイズを選ぶことでこなれた着こなしにつながります。天竺ニットやスムースニットで作るのがおすすめです。

後ろ身頃の衿ぐりの縫い代は、肌当たりも優しくなるようにテープで押さえます。

生地提供／jack&bean

G | VネックTシャツ
V neckline T-shirt

How to make …P.74

生地提供／fabric-store

V neckline T-shirt
首周りすっきり、スマートな印象

衿ぐりの形がV字になっているVネックTシャツ。ボディはクルーネックと共通のパターンで作っています。カジュアル感を損なわないカッティングにこだわり、Vネックの深さは浅めにしてゆるやかなカーブをつけました。

衿ぐり布を二つ折りにして前中心を「く」の字に縫うと、V字の形ができ上がります。

H | ラグランTシャツ
raglan sleeve T-shirt

How to make …P.75

raglan sleeve T-shirt
肩が動かしやすいから運動にも

肩に縫い目がないので腕を動かしやすく、着やすいラグラン袖のTシャツ。身頃と袖の生地の色を変えることでイメージが変わるので、お気に入りの配色で作ってみてください。

生地提供／jack&bean

白と濃いグリーンのメリハリのある配色でカジュアル感がアップします。たまには大胆な色の組み合わせで、冒険してみるのもおすすめ。

I ポロシャツ
polo shirt

How to make ...P.76

生地提供／無地…jack&bean、ボーダー…pelote、ボタン提供／ティーエージー

polo shirt
きれいめカジュアル、大人の定番

カジュアルウェアの定番のポロシャツ。衿がついているのでTシャツよりも上品な印象になり、どんなボトムスとも合わせやすい1枚です。既製品はコットンの鹿の子編みが使われていますが、入手しやすい天竺ボーダーとスムースニットを使ってさわやかなイメージで作りました。

衿には作りやすく吸水性に優れている綿スムースを使用しました。

J | トレーナー
sweat shirt

How to make ...P.80

sweat shirt
ほっと一息つける1枚

首周り、裾、袖口にリブのついたスタンダードなデザインのトレーナー。アメカジスタイルを取り入れ、ワッペンをつけたカレッジトレーナー風に仕上げました。フロッキーなどのアイロンプリントもおすすめです。

生地提供／jack&bean

リブはつけ位置の寸法よりも短くなっているので、つけ寸法に伸ばしながら縫いましょう。

K パーカ
parka

How to make ...P.31、78

parka
これだけは外せない着回し度 No.1

グレーのスウェットパーカは、着回しがきく便利な1着。フードは2枚仕立てにし、かぶり口にトンネルを作ってコットンコードを通します。フロントファスナーあきで、アウターとしても大活躍する定番のアイテムです。

袖口、裾、ポケット口にはリブを縫いつけます。この「リブ」とはリブ編みまたはゴム編みと呼ばれる横編みで構成されたニット地です。

生地提供／SMILE

ニット地について

コツを覚えておけば、家庭用ミシンでも
ニット地を縫うことができます。

【ニット地を選ぶときに覚えておきたいこと】

● テンション ●

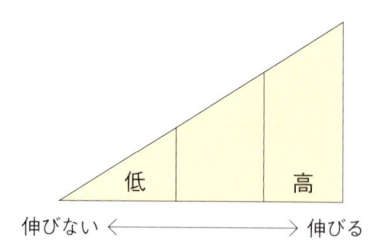

伸びない ←――→ 伸びる

伸縮率のことで、テンションが高い生地はよく伸び、テンションが低い生地はあまり伸びません。

● 糸について ●

糸の太さは「番手」「テックス」「デニール」などの単位で表されています。日本で昔から使われてきたのが「番手」で、数字が大きくなるほど糸は細くなります。現在、国際規格で使われているものが「テックス」です。「デニール」は化学繊維の糸に使われています。テックスとデニールは数字が大きくなるほど糸は太くなります。糸が細いと生地は薄く、太いと厚くなります。

● 度目（どもく）●

編み目の密度のことを表します。編み目のループを詰めて編んだものを度詰め、粗く編んだものを度甘と呼びます。

● ゲージ ●

工業用の編み機で1インチの間に入る編み針の本数を表します。数字が小さいほど粗く、数字が大きいほど密になります。数字が小さい順に、コースゲージ、ローゲージ、ミドルゲージ、ファインゲージ、ウルトラファインゲージと呼ばれます。

【家庭用ミシンでニット地を縫うには】

◆ミシンの設定……家庭用ミシンでよりニット地を縫いやすくするために、押さえ圧と縫い目を調整しましょう。

押さえ圧

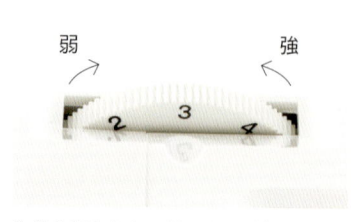

弱 ← → 強

生地を押さえ金で押さえる圧力のことを「押さえ圧」といいます。ニット地を縫うときは押さえ圧を「弱め」に設定すると、布がよりスムーズに送れるようになって縫い伸びを軽減させることができます。

縫い目

地縫い		布端始末		
直線縫い	伸縮縫い	3点ジグザグ縫い	裁ち目かがり縫い	捨てミシン
脇などたて地を縫うときにおすすめ。伸縮性があまりない縫い目です。	雷のようなジグザグの縫い目。直線縫いより伸縮性があります。	普通のジグザグ縫いよりも丈夫な縫い目。布端の始末に使います。	布端をかがりながら縫う、布端の始末の縫い目。	縫い代に直線縫いを2本かけて布端の始末をする方法。

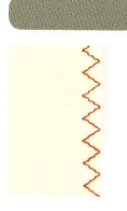

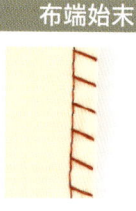

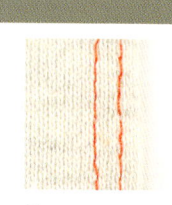

◆アイロンのかけ方……縫い伸びてしまった場合の対処方法。

❶布端の始末をしたら、生地が波打って縫い伸びてしまいました。

❷アイロンをスチーム設定にし、布端を押さえるようにアイロンをかけます。

❸波打っていた布端が落ちつきました。

Lesson 2
F クルーネックTシャツ
P.22

実物大型紙　D面【F】

※材料、裁ち方図、でき上がりサイズは P.73 参照。
※ここではわかりやすいように布を変え、目立つ色の糸を使用しています。
※袖口と裾の縫い代は 3cm に二つ折りにして折り目をつけておきます。

1. 肩を縫う

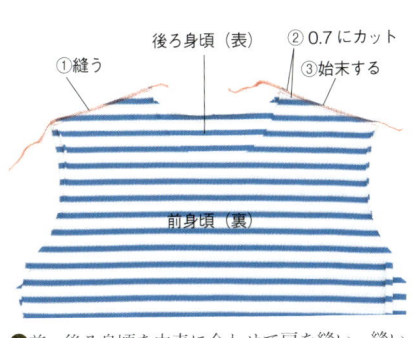

❶後ろ身頃の肩の縫い代に、でき上がり線に伸び止めテープを 0.3cm 重ねて貼ります。

❷前・後ろ身頃を中表に合わせて肩を縫い、縫い代は 0.7cm にカットして 2 枚一緒に始末します。

❸縫い代を後ろ側に倒し、表から肩にステッチをかけて縫い代を押さえます。

2. 衿ぐりを縫う

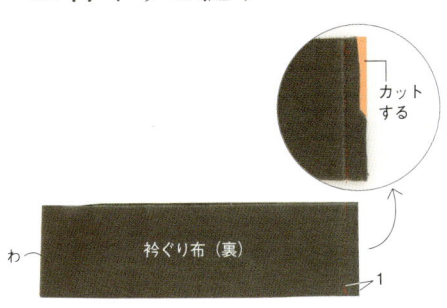

❶衿ぐり布を中表に二つ折りにして輪に縫います。縫い代を半分程度カットし、割ります。

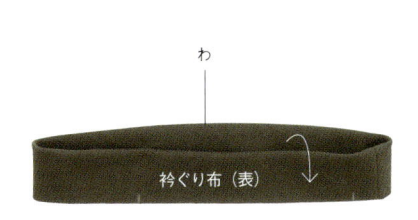

❷衿ぐり布を外表に折ります。

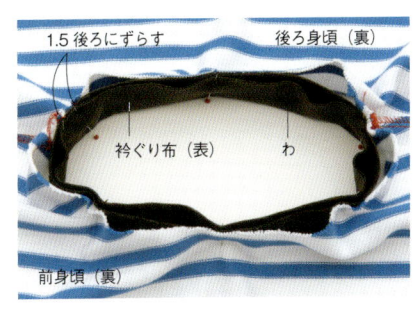

❸身頃と衿ぐり布を中表に合わせ、合印を合わせてマチ針を打ちます。衿ぐり布の縫い目は左肩の縫い目から後ろ側に 1.5cm ずらします。衿ぐり布の方が短いので、身頃の布が余ります。

❹衿ぐり布を身頃の寸法に合わせて伸ばしながら、縫い代 1cm で縫います。身頃の衿ぐりは伸ばさないよう注意。

❺衿ぐり布を身頃に縫いつけたところ。

❻縫い代は 0.7cm にカットし、3 枚一緒に始末して身頃側に倒します。

3. パイピング布をつける

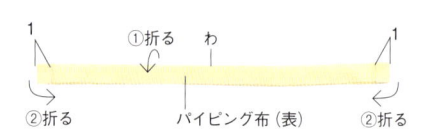

❶ パイピング布を外表に二つ折りにし、両端を1cm内側に折ります。

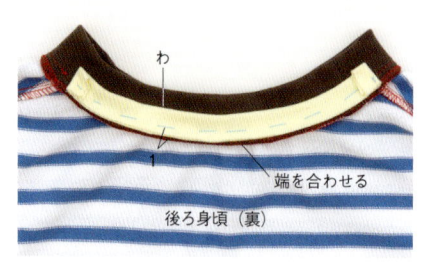

❷ 後ろ身頃の衿ぐり布の布端にパイピング布を重ねてしつけをかけます。

❸ パイピング布を縫いつけます。縫い代を起こして後ろ身頃の裏側から、衿ぐり布を縫いつけた縫い目を重ねて縫います。しつけ糸は抜きます。

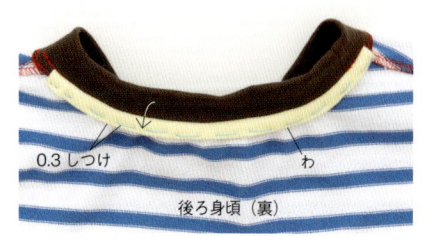

❹ パイピング布を起こし、縫い代を身頃側に倒してしつけをかけます。

❺ パイピング布にコバステッチをかけます。しつけ糸は抜きます。

❻ 衿ぐりが縫えました。

4. 袖をつける

❶ 身頃と右袖を中表に合わせて縫い、縫い代は2枚一緒に始末して身頃側に倒します。

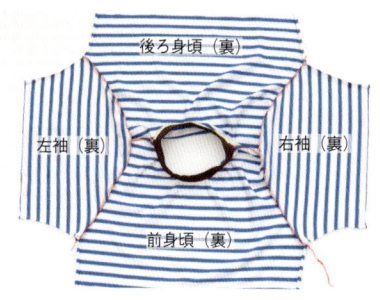

❷ 同様にして左袖を縫いつけます。

5. 袖下から脇を縫う

前・後ろ身頃を中表に合わせ、袖も中表に合わせます。袖下から続けて脇を縫います。縫い代は2枚一緒に始末し、後ろ側に倒します。

6. 裾と袖口を縫う

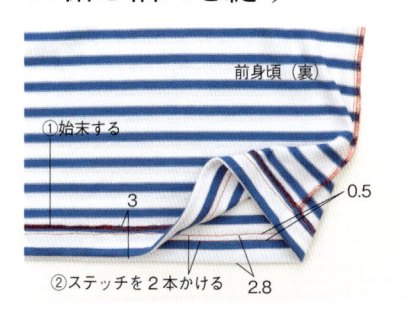

❶ 裾の縫い代を始末し、3cmに二つ折りにしてステッチを2本かけます。

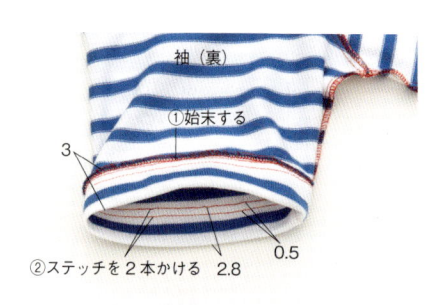

❷ 袖口の縫い代を始末し、3cm幅に二つ折りにしてステッチを2本かけます。

でき上がり

Point Lesson
パーカのファスナーつけ

※ファスナーつけ以外は P.78 参照。
※ここではわかりやすいようにファスナーの色を変え、目立つ色の糸を使用しています。
※しつけ糸は縫い終わったら、そのつど抜きます。

❶ 前身頃と裾リブの端を始末します。

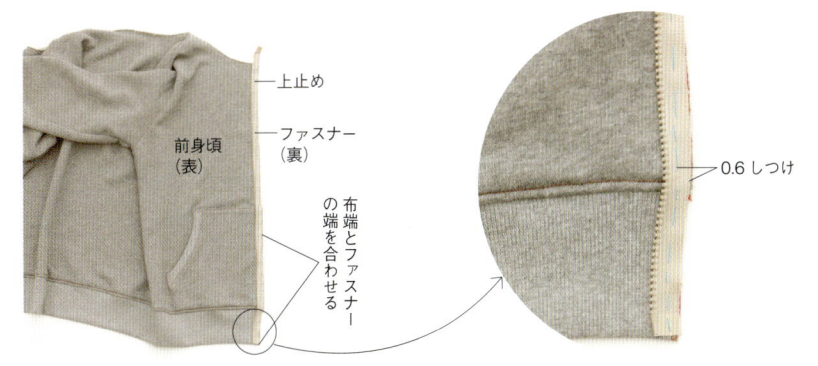

❷ ファスナーと身頃を中表に合わせます。ファスナーのテープの端と身頃の布端、ファスナーの下端と裾リブの端、上止め位置を合わせてしつけをかけます。

❸ 反対側も同様に身頃とファスナーを中表に合わせ、しつけをかけます。

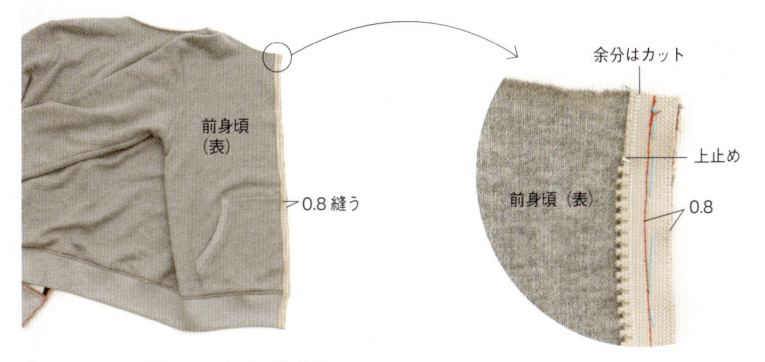

❹ ファスナーを縫いつけます。余分なファスナーはカットします。

❺ 反対側も同様に縫います。

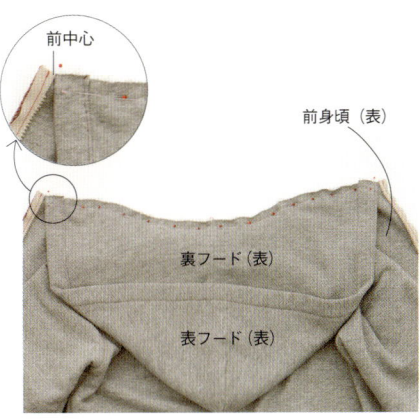

❻ 身頃と表フードを中表に合わせてマチ針を打ちます。フードの端は前中心に合わせます。

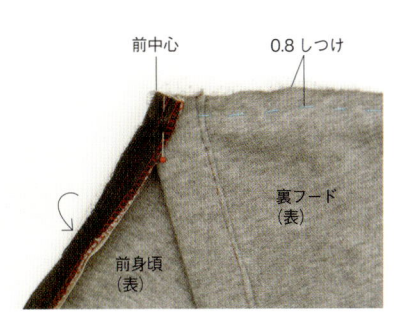

❼ 前身頃の縫い代を前中心でフードを挟むように中表に折り、マチ針を打って衿ぐりにしつけをかけます。

31

❽ パイピング布を外表に二つ折りにします。

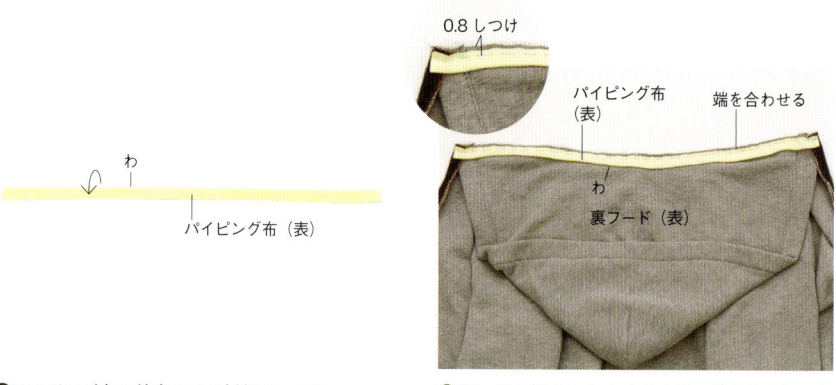

❾ 縫い代の端を合わせてパイピング布を重ね、しつけをかけます。

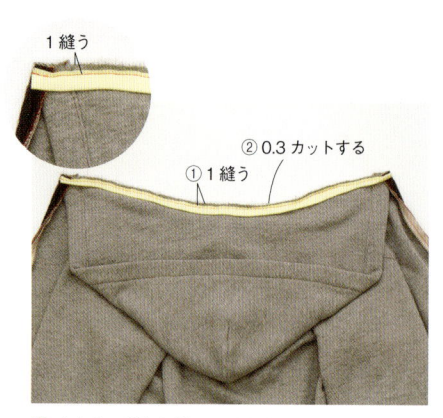

❿ パイピング布を縫いつけます。

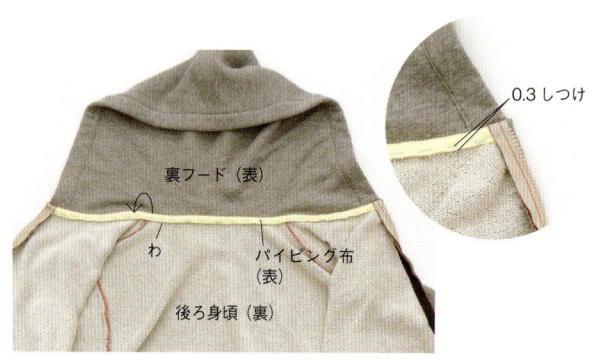

⓫ パイピング布を起こして身頃側に倒し、角を整えてしつけをかけます。

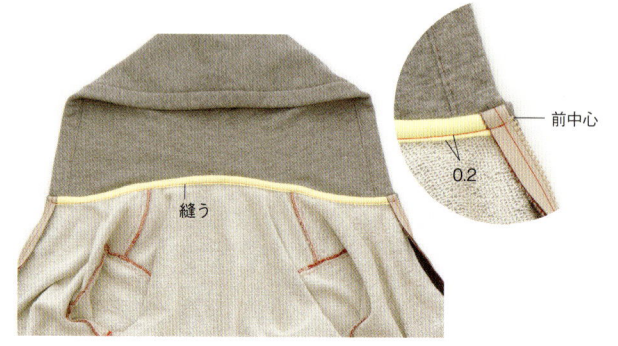

⓬ 前中心から前中心までステッチをかけて、パイピング布を縫いとめます。

⓭ 前身頃と裾リブを前中心で折り、しつけをかけます。

⓮ 表から押さえステッチをかけて、縫い代とファスナーを落ち着かせます。

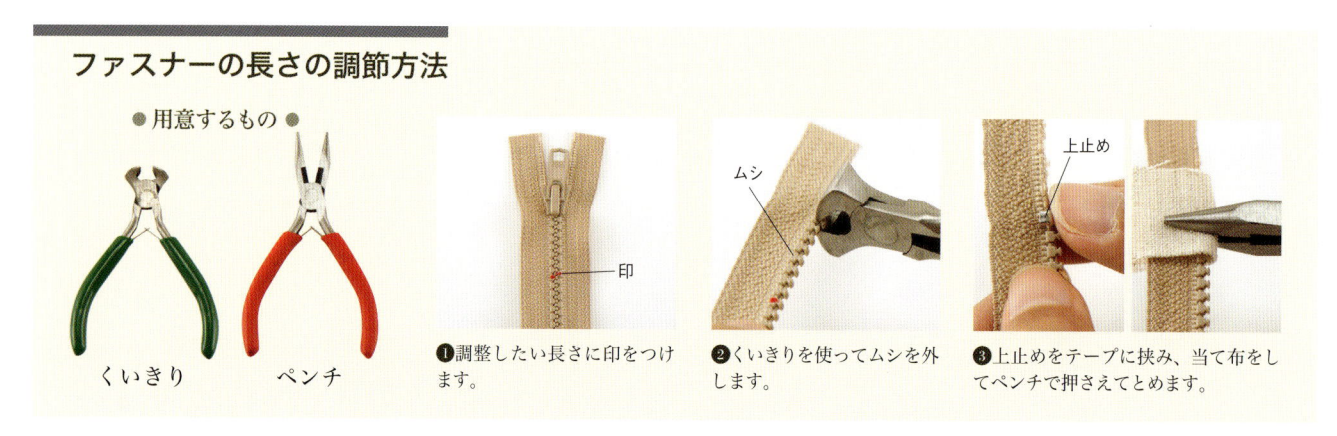

ファスナーの長さの調節方法

● 用意するもの ●

くいきり　ペンチ

❶ 調整したい長さに印をつけます。

❷ くいきりを使ってムシを外します。

❸ 上止めをテープに挟み、当て布をしてペンチで押さえてとめます。

Chapter 3

pants パンツ

- **L** チノパン P.34
- **M** ストレッチチノパン P.36
- **N** クロップトパンツ P.37
- **O** ハーフパンツ P.38
- **P** カーゴパンツ P.39

メンズ服のこだわり 片玉縁ポケット

玉縁とは、別布で縫い代を包むパイピング始末のこと。ポケット口の縫い代の片側を細く切った別布で始末したポケットを片玉縁といいます。メンズのスラックスなどによく見かけられます。

L | チノパン
chinos

How to make …P.40、81

chinos
ハンドメイドに見えない
クオリティの高さ

チノクロスという綾織りの生地を使ったパンツ。どんなトップスとも相性の良い、カジュアルパンツの代表的なアイテムです。細すぎず、太すぎないストレートシルエットで作りました。前はファスナーあき、後ろには片玉縁ポケットをつけた本格的な仕立てです。

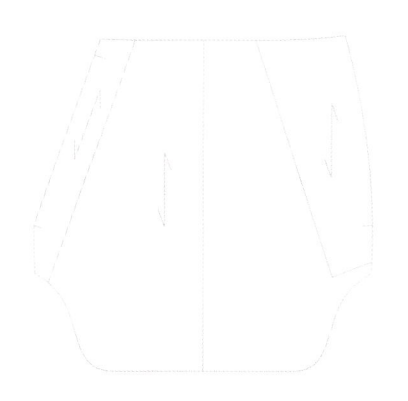

前のあきは、ファスナーつけがポイント。写真の解説を追って縫えば、ファスナーつけもあっという間にでき上がります。

後ろは立体的に仕上げるために、ダーツを入れて片玉縁ポケットを作ります。少し手間のかかるポケットですが、ひと手間プラスすることでクオリティも格段に上がります。

生地提供／オカダヤ新宿本店、ボタン提供／ティーエージー

M | ストレッチチノパン
stretch chinos

How to make …P.81

ベルトループにはベルトのゆとり分を入れるなど、細部にもこだわりを詰め込んでいます。

stretch chinos

スタイル抜群の美脚パンツ

ジャケットともコーディネートできる、細身のシルエットのチノパン。履き心地の良さをキープするため、横伸びするストレッチ素材のチノクロスを使用しています。すらっとして見え、きれいめカジュアル派の方にもおすすめです。

生地提供／山冨商店
ボタン提供／ティーエージー

N | クロップパンツ
cropped pants

How to make ...P.84

cropped pants
おしゃれな男の休日スタイル

足首を見せて軽快に履ける八分丈のクロップトパンツ。もも周りはゆったりとして、裾にかけて細くなるシルエットで作りました。パンツの丈感でぐっと垢抜けた印象になります。Tシャツなどと合わせても履きやすく、若々しく見えるのでおすすめです。

後ろポケットはカジュアルデザインのパッチポケット。縫いつけるだけでき上がります。

生地提供／オカダヤ新宿本店
ボタン提供／ティーエージー

37

O | ハーフパンツ
half pants

How to make ...P.73

half pants
涼しげに、軽やかに履きこなせる

軽やかなひざ上丈のハーフパンツ。後ろにはパッチポケットをつけ、左ポケットのみボタン留めにしました。これくらい鮮やかなグリーンでも、カジュアルなハーフパンツならチャレンジしたくなる1枚です。

ポケット口や前あきは力のかかる部分にステッチを重ね、あきがほつれないように補強をしています。

生地提供／オカダヤ新宿本店、ボタン提供／ティーエージー

P | カーゴパンツ
cargo pants

How to make ...P.82

cargo pants
アウトドアにもぴったり
たくさんのポケットが実用的

ポケットが6か所もついているのに、すっきりとしたシルエットのカーゴパンツ。迷彩柄をはじめ、無地のコットンツイルやカツラギなどの素材で作るのがおすすめです。ワークブーツなどのカジュアルブーツとコーディネートすれば、かっこいいミリタリースタイルが完成します。

全部で6か所ついたポケット。フラップつきのデザインで、内側には力布をつけて補強しています。

生地提供／pelote
ボタン提供／ティーエージー

Lesson3　L チノパン

P.34

実物大型紙　C面【L】

※材料、裁ち方図、でき上がりサイズは P.81 参照。
※裁ち方図を参照して接着芯を指定の箇所に貼っておきます。
※ここではわかりやすいように布を変え、目立つ色の糸を使用しています。

1. ダーツを縫う

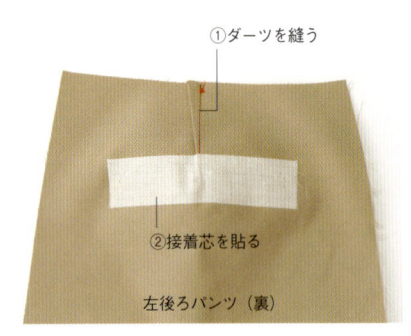

①ダーツを縫う
②接着芯を貼る
左後ろパンツ（裏）

後ろパンツのダーツを縫い、中心側に倒します。ポケットつけ位置の裏側に接着芯を貼ります。右後ろパンツも同様にします。

2. 後ろポケット（片玉縁）を作る　※右パンツも同様に作ります

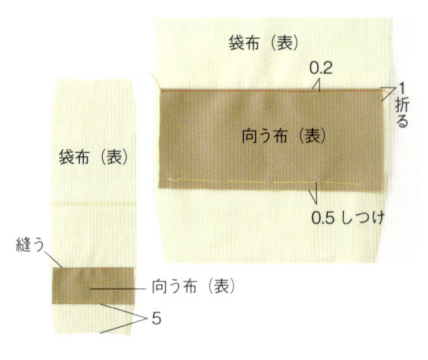

袋布（表）　0.2　1 折る
向う布（表）
0.5 しつけ
袋布（表）
縫う
向う布（表）
5

❶向う布の縫い代を折り、袋布に縫いつけます。ポケット口側はしつけをかけておきます。

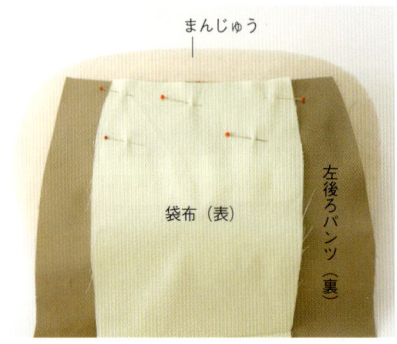

まんじゅう
袋布（表）
左後ろパンツ（裏）

❷まんじゅうの上に後ろパンツを置きます。後ろパンツと袋布のポケット口を合わせてマチ針を打ちます。

ポケット口側
玉縁布（表）
始末する

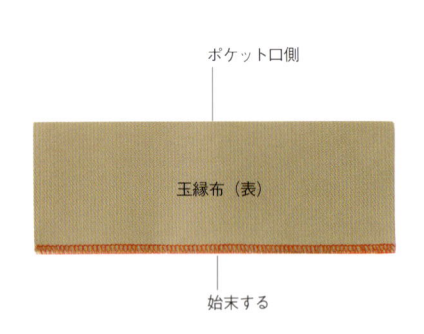

❸玉縁布の下端を始末します。

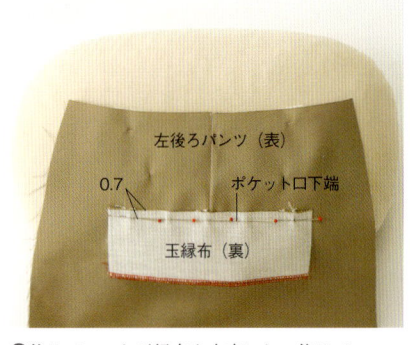

左後ろパンツ（表）
0.7　ポケット口下端
玉縁布（裏）

❹後ろパンツと玉縁布を中表にし、後ろパンツのポケット口の下端に玉縁布のポケット口を合わせてマチ針を打ちます。

ポケット口　0.7

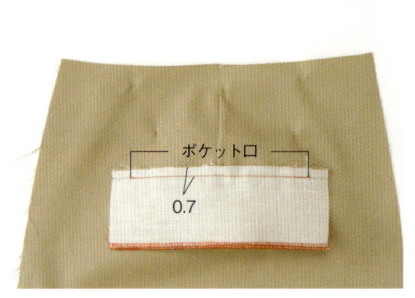

❺ポケット口の下端を端から端まで縫います。

後ろポケット口布（裏）
ポケット口上端
1
縫い代をよける
左後ろパンツ（表）

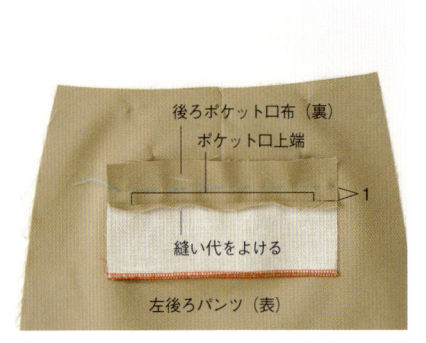

❻後ろパンツと後ろポケット口布を中表にし、後ろパンツのポケット口の上端に口布のポケット口を合わせてしつけをかけます。玉縁布の縫い代はよけておきます。

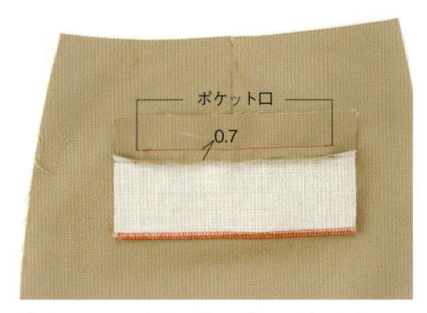

ポケット口　0.7

❼ポケット口の上端を端から端まで縫います。

後ろポケット口布（裏）
玉縁布（裏）
左後ろパンツ（表）
0.1　0.7

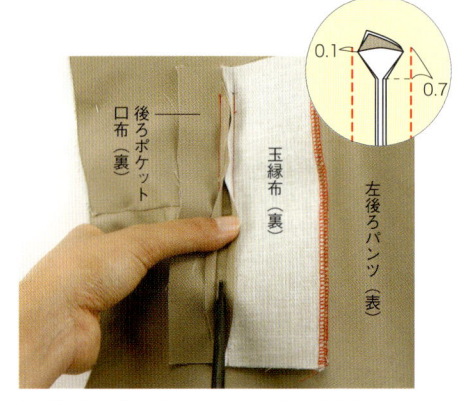

❽玉縁布と後ろポケット口布の縫い代を起こし、ポケットの中心に切り込みを入れ、後ろパンツと袋布を切ります。両端はY字に切り込みを入れます。

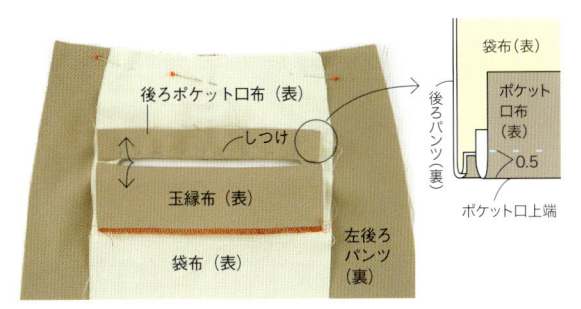

❾ 玉縁布と後ろポケット口布をポケット口から袋布側に引き出します。ポケット口布はポケット口上端で折り返して、パンツの表側からしつけをかけます。

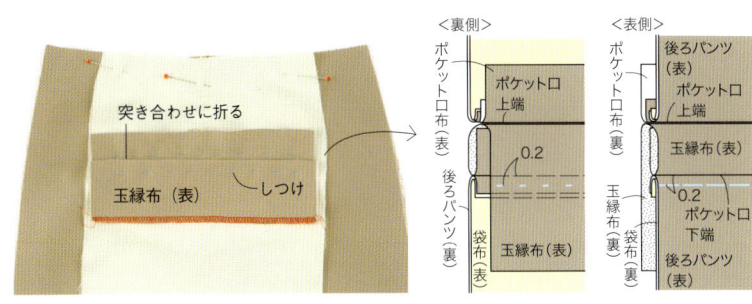

❿ ポケット口下端は後ろパンツと袋布の縫い代を下側に倒しておきます。玉縁布はポケット口上端と突き合わせにして縫い代をくるみ、パンツの表側からしつけをかけます。

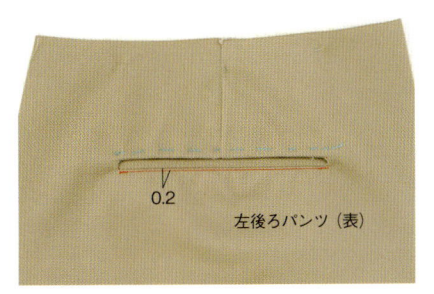

⓫ 表からポケット口の下端にコバステッチをかけます。下側のしつけは抜きます。

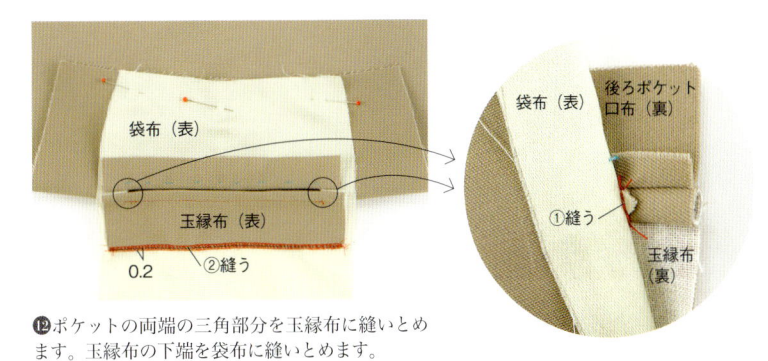

⓬ ポケットの両端の三角部分を玉縁布に縫いとめます。玉縁布の下端を袋布に縫いとめます。

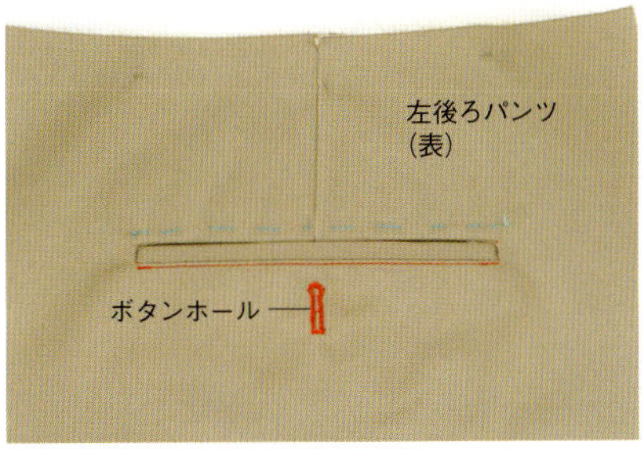

⓭ 左後ろパンツから玉縁布まで重ねた状態で、ボタンホールをハトメ型で作ります。
※ボタンホールは左後ろパンツのみ

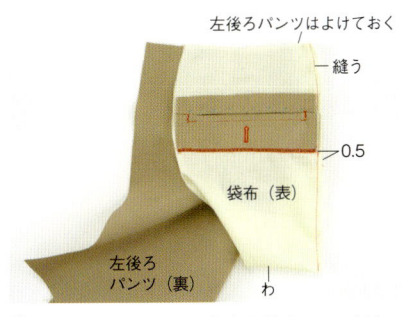

⓮ 後ろパンツをよけて、袋布を外表に二つ折りにして端を縫います。※両端は袋縫い

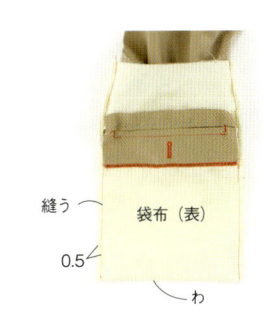

⓯ 反対側も同様に袋布の端を縫います。後ろパンツは縫い込まないようによけておきます。

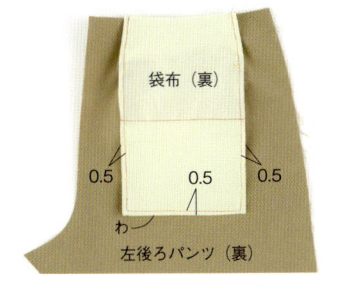

⓰ 袋布を返して中表にし、両端と底にステッチをかけます。

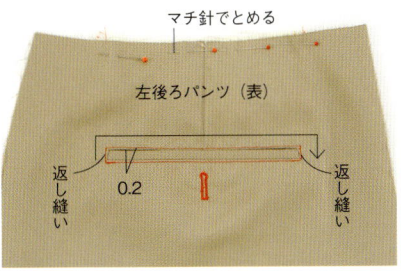

⓱ 袋布を上端にとめ、表からポケット口の両端と上端にコバステッチをかけます。ポケット口の両端は返し縫いをします。

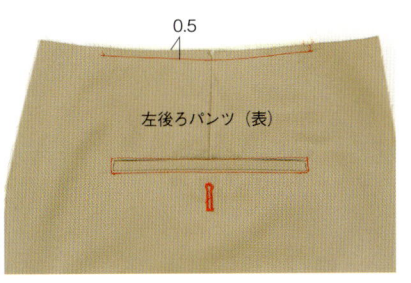

⓲ 袋布をパンツの縫い代に仮止めします。

41

3. 脇ポケットを作る　※右パンツも同様に作ります

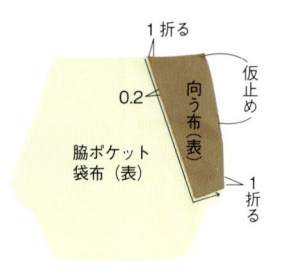

❶向う布の内側の縫い代を折り、脇ポケット袋布に重ねて縫います。脇側は仮止めします。

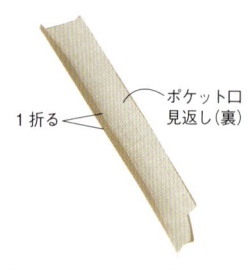

❷ポケット口見返しの縫い代を折っておきます。

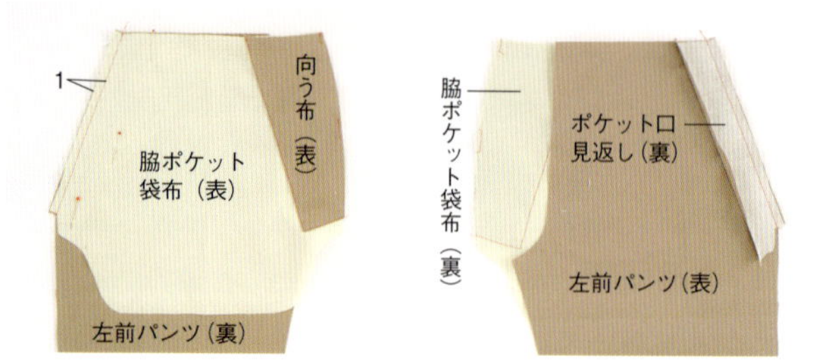

❸前パンツのポケット口を脇ポケット袋布とポケット口見返しで挟んで縫います。

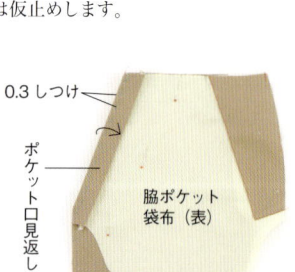

❹縫い代を割ってから、ポケット口見返しを裏側に倒します。ポケット口にしつけをかけます。

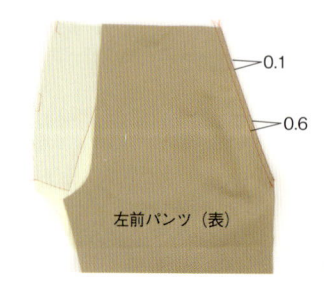

❺表からポケット口に2本ステッチをかけます。

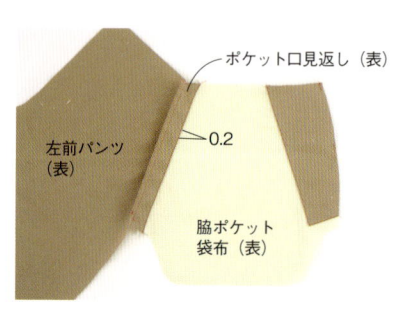

❻前パンツをよけて、ポケット口見返しを脇ポケット袋布に縫いとめます。

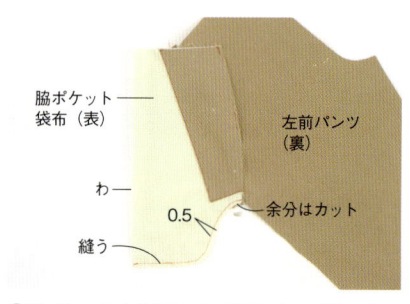

❼脇ポケットを外表に二つ折りにし、ポケットの底を縫います。ポケット口見返しのはみ出た余分はカットします。

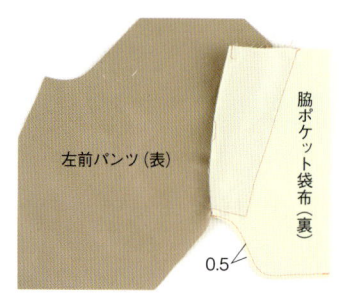

❽脇ポケットを返して中表に合わせ、ポケットの底にステッチをかけます。

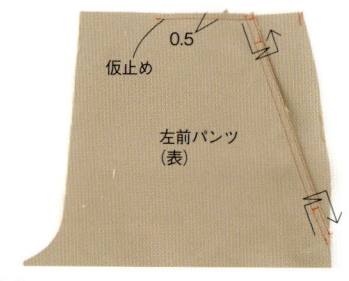

❾❺のポケット口のステッチに重ねて矢印の方向にステッチをかけ、前パンツを袋布に縫いとめます。ポケット口の両端は返し縫いをして補強します。袋布の上端を前パンツに仮止めします。

4. 脇を縫う　※右パンツも同様に縫います

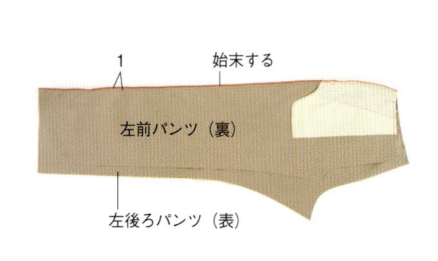

❶前・後ろパンツを中表に合わせて脇を縫います。縫い代は2枚一緒に始末し、後ろ側に倒します。

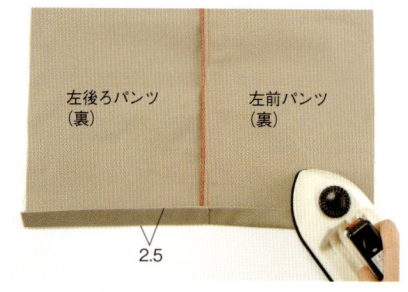

❷裾の縫い代を2.5cm、2.5cmの完全三つ折りにして折り目をつけておきます。

5. 股下を縫う　※右パンツも同様に縫います

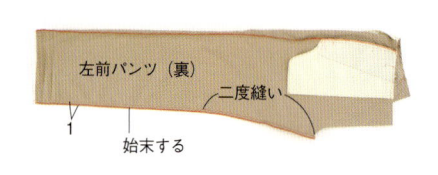

前・後ろパンツを中表に合わせて股下を縫います。膝から上は同じところを重ねて縫い、補強します。縫い代は2枚一緒に始末し、前側に倒します。

6. 裾を縫う

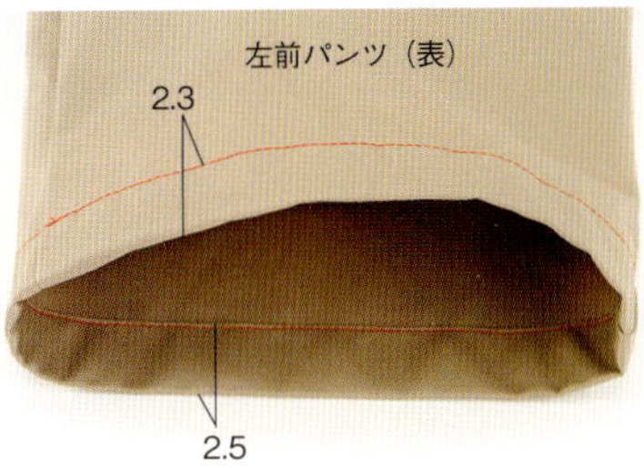

裾の縫い代をつけておいた折り目で三つ折りにして縫います。右パンツも同様に縫います。

7. 股ぐりを縫い、ファスナーをつける

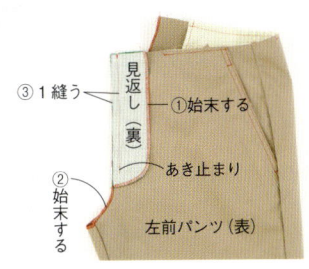

❶ 見返しの端を始末しておきます。パンツの股ぐりの縫い代を始末し、左前パンツに見返しを中表に合わせてあき止まりまで縫います。
※右パンツは股ぐりの縫い代の始末だけします

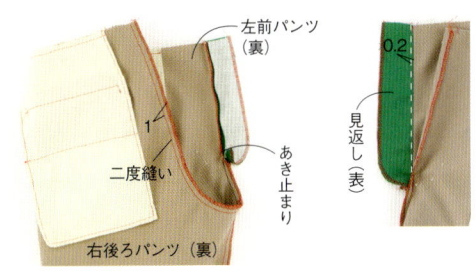

❷ 左・右パンツを中表に合わせ、あき止まりから後ろ股ぐりまで縫います。同じところを重ねて縫い、補強します。縫い代は割ります。左右パンツを開き、左前パンツの縫い代を見返し側に倒してあき止まりまでステッチをかけます。

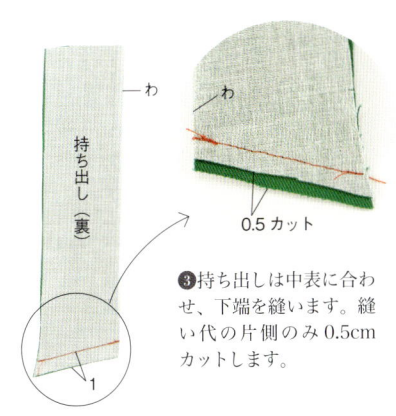

❸ 持ち出しは中表に合わせ、下端を縫います。縫い代の片側のみ0.5cmカットします。

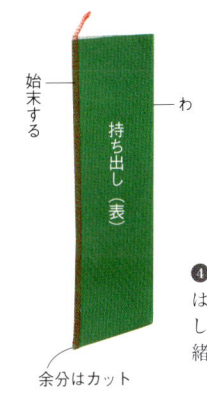

❹ 持ち出しを表に返し、はみ出た縫い代はカットします。縫い代を2枚一緒に始末します。

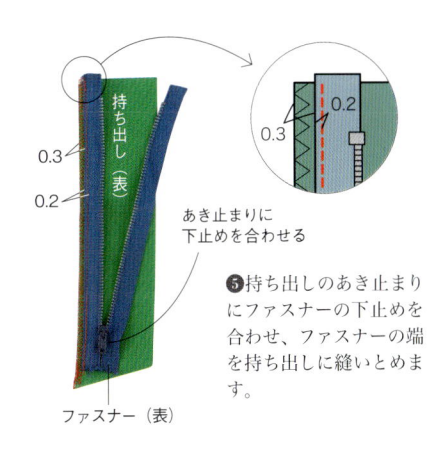

❺ 持ち出しのあき止まりにファスナーの下止めを合わせ、ファスナーの端を持ち出しに縫いとめます。

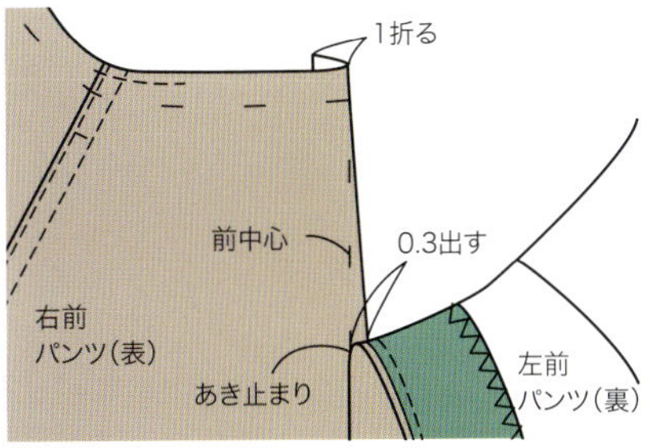

❻ 右前パンツの前あきは、上端で縫い代を1cm折り、あき止まり位置ではでき上がり線から0.3cm出して自然に折ります。

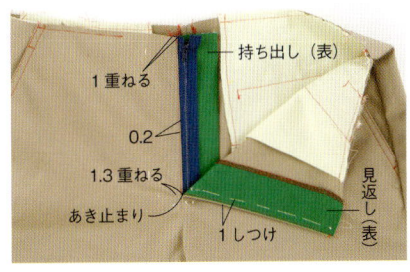

❼ 見返しは控えて折り返し、しつけをかけます。右前パンツの折り山に持ち出しを重ね、あき止まりまで縫いとめます。

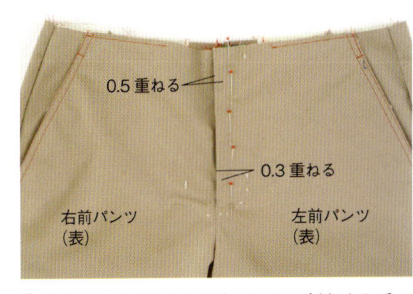

❽ 左前パンツの折り山を右パンツの折り山と重ねてマチ針を打ちます。上側は0.5cm、下側は0.3cm重ねます。マチ針は持ち出しに刺さらないようにファスナーのみに打ちます。

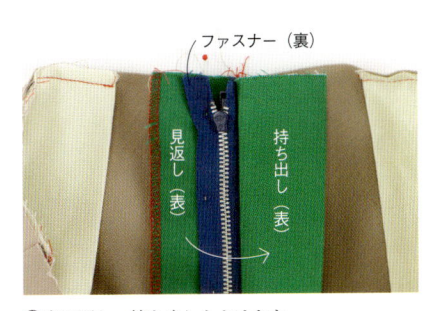

❾ 裏に返し、持ち出しをよけます。

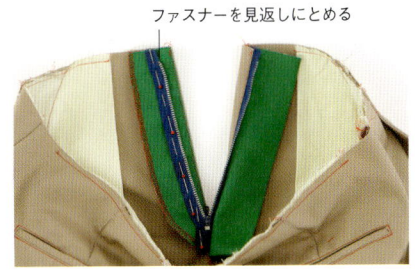

❿ 裏からファスナーにマチ針を打ち、見返しのみにファスナーを固定します。ファスナーを開いておきます。

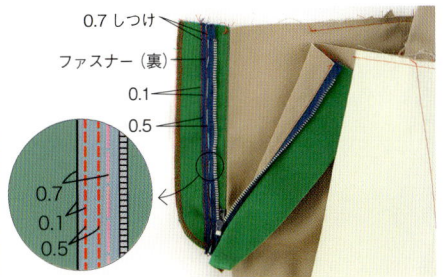

⓫ しつけをかけ、ステッチを2本かけて、ファスナーを見返しに縫いとめます。

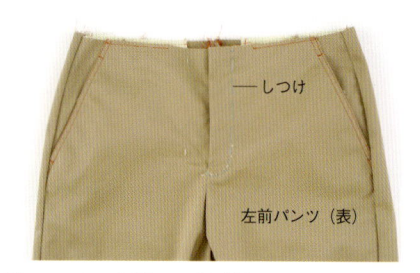

⑫ファスナーを閉めて形を整え、しつけをかけて見返しを左前パンツに固定します。持ち出しを一緒に縫わないように注意。

⑬持ち出しをよけてステッチ位置にステッチをかけて見返しを縫いとめます。

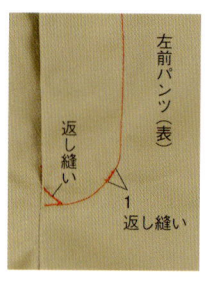

⑭持ち出しを戻して重ね、表側から指定位置に返し縫いをして持ち出しを縫いとめます。

8. ベルトを作る

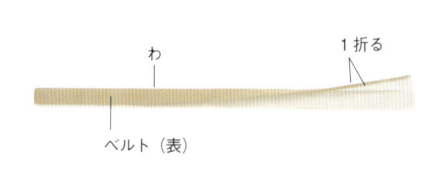

❶ベルトを外表に二つ折りにし、片側の縫い代を折って折り目をつけます。

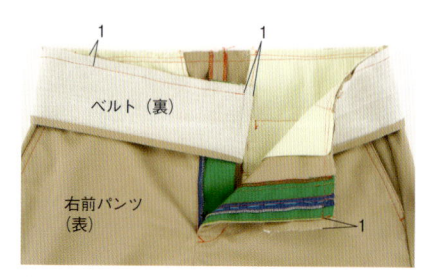

❷パンツとベルトを中表に合わせて縫います。ベルトの両端は前端から1cm出します。

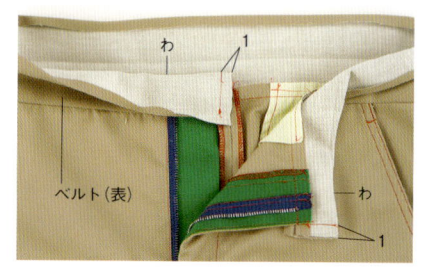

❸ベルトを中表に合わせ、前端を縫います。

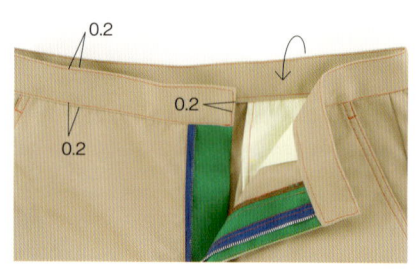

9. ベルトループと前あきのボタンホールを作る

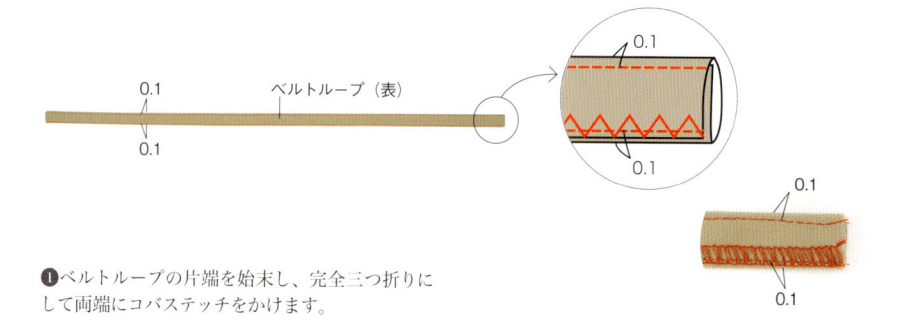

❹ベルトを表に返して形を整え、表側からベルトの周りにコバステッチをかけます。

❶ベルトループの片端を始末し、完全三つ折りにして両端にコバステッチをかけます。

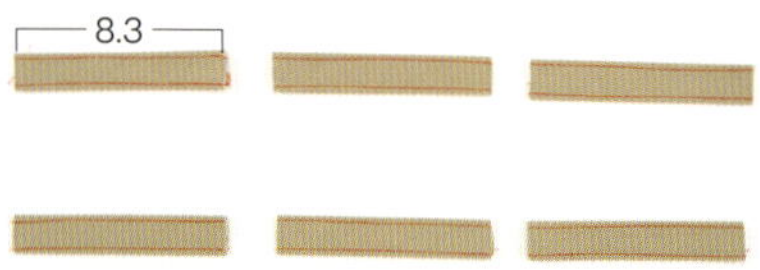

❷8.3cmに6本カットします。

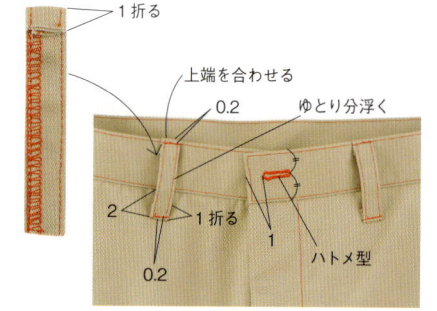

❸ベルトループの片端を1cm折り、上端を合わせてベルトループを返し縫いでとめます。ベルトの縫い目から2cm下がったところにベルトループの端を1cm折って縫いとめます。左パンツのベルトにボタンホールを作ります。

でき上がり

前あきと左後ろパンツにボタンをつけます。

44

Chapter 4

outerwear
アウター

Q カバーオール P.46
R ベスト P.48
S スタジャン P.50

メンズ服のこだわり ドットボタン

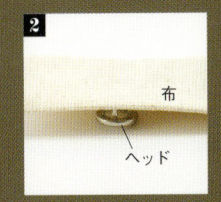

1 組み合わせを確認します。
ヘッド　ヘッド
バネ　ゲンコ

2 ツメのある方の上に、布を重ねます。
布
ヘッド

3 打ち具の先で詰めを布にしっかりと差し込みます。
打ち具
ツメ

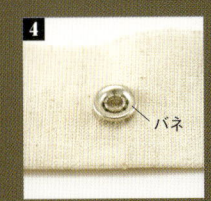

4 バネまたはゲンコの裏の溝にツメの先を入れます。
バネ

5 上に打ち具を重ねてハンマーで打ち具をたたき、しっかりとつけます。
打ち具

Q カバーオール
coveralls

How to make ...P.52、90

coveralls
ロングシーズン活用
長いつきあいで味の出る

季節の変わり目に軽く羽織れる便利なアウターです。洗濯を重ねるうちに自然なダメージ加工がプラスされ、一層着やすく馴染み愛着のわく一枚になります。表衿に細畝のコーデュロイを使うと、よりカバーオールらしい雰囲気に仕上がります。

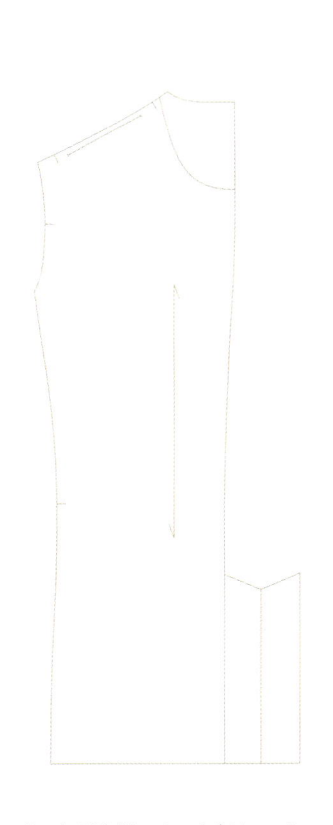

背中の当て布や腰ポケットの力布はワークジャケットの特徴的なディテールです。

後ろ身頃の裾にはセンターベンツを作っているので、よりアクティブに動けます。

前端を見返しで始末をしたあと、肩を縫い合わせ衿をつけます。

生地提供／オカダヤ新宿本店

R | ベスト
vest

How to make …P.85

vest
気軽なのに
おしゃれに決まる

Tシャツやシャツの上に、さりげなく羽織れるおしゃれなベスト。前裾が三角に張り出したデザイン。胸ダーツと後ろ身頃のダーツでウエストをシェイプしたシルエットにしています。グレンチェックのほか、ペンシルストライプやタータンチェックなどの柄で作るのもおすすめです。

後ろ身頃は無地の別布を使用しています。ベルトにつける尾錠はDカンを2個で代用可能。

脇に入っているスリットはメンズベストの特徴的なデザイン。前後差をつけているので、合印をきちんと合わせて縫ってください。

裏布の裾はキセがかかった本格的な仕様。

箱ポケットのように見える片玉縁ポケット。ポケットの玉縁布の前中心側は身頃と柄合わせをしています。

生地提供／ユザワヤ

S | スタジャン
stadium jumper

How to make ...P.88

生地提供／大塚屋

stadium jumper
週末スタイルも
ワンランクアップ

アメカジの代表的なブルゾン、スタジアムジャンパーです。裏地をつけず、軽く仕上げました。クラシックなものはゆったりとしたシルエットが主流でしたが、こちらは細身のコンパクトなシルエットなので、すっきりと着こなすことができます。配色の組み合わせやワッペンで自分らしさをプラスしてください。

衿と手首は肌触りのよいテレコニットを使います。無地のテレコニットで作るのでハードすぎず優しい印象に。

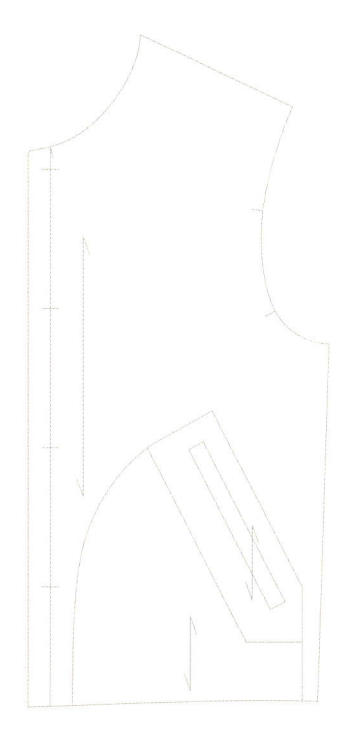

前端はポンチなどで穴を開けて、ドットボタンをつけます。

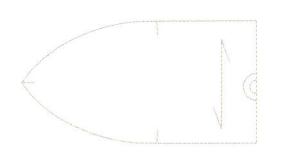

両脇には片玉縁ポケットをつけます。玉縁布は色を変えてポイントに。内側の布は厚みが出ないようにブロードを使っています。

Lesson 4
Q　カバーオール
P.46

実物大型紙　D面【Q】

※材料、裁ち方図、でき上がりサイズはP.90参照。
※裁ち方図を参照して接着芯・伸び止めテープを指定の箇所に貼っておきます。
※ここではわかりやすいように布を変え、目立つ色の糸を使用しています。

1. ポケットを作る
※右身頃は左右対称に同様に作ります

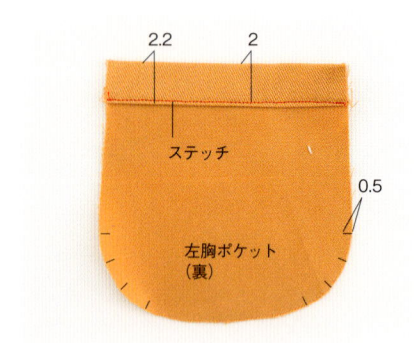

❶左胸ポケットのポケット口を1cm、2.2cmの三つ折りにしてステッチをかけます。カーブ部分の縫い代に切り込みを入れておきます。

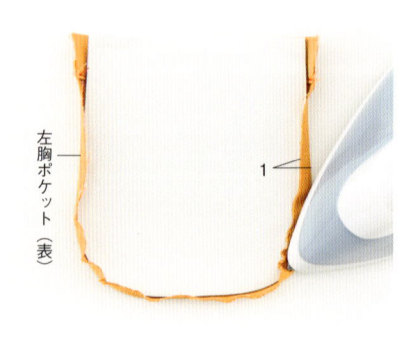

❷でき上がりサイズに切った型（厚紙などで作った型紙）を当ててアイロンで縫い代を折ります。

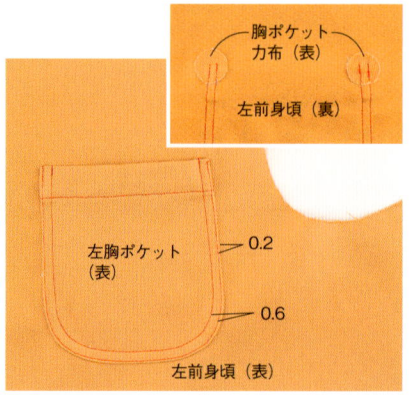

❸胸ポケットをポケットつけ位置に合わせ、ステッチを2本かけます。ポケット口の両端は、裏側に力布を当てて返し縫いをします。

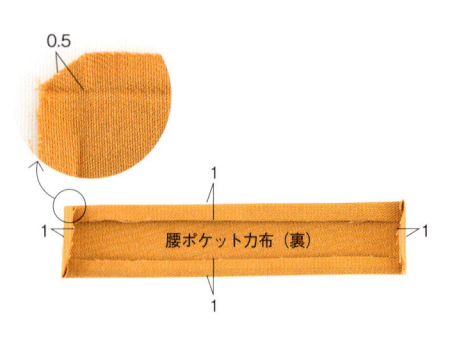

❹腰ポケット力布は角の縫い代を斜めにカットし、でき上がりに折ります。

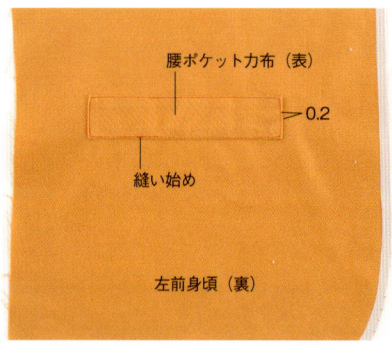

❺左前身頃の裏側に腰ポケット力布を縫いつけます。下端の内側に入ったところから縫い始めると、縫い始め・終わりが表から見たときにポケットの中に隠れます。

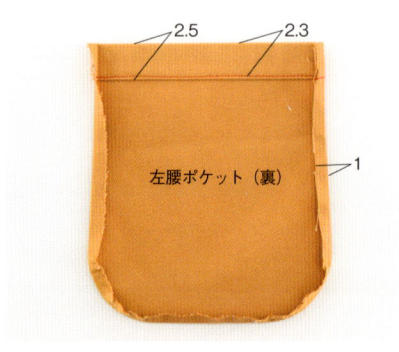

❻左腰ポケットのポケット口を1cm、2.5cmの三つ折りにしてステッチをかけます。❷と同様にして周りの縫い代を折ります。

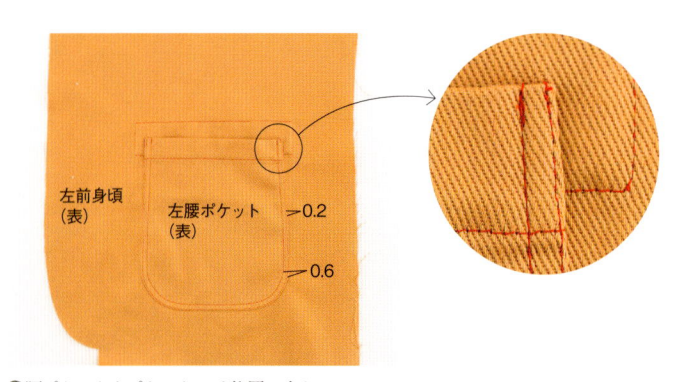

❼腰ポケットをポケットつけ位置に合わせ、ステッチを2本かけます。ポケット口の両端は返し縫いをして補強します。

Point
腰ポケットは手が入りやすいように指1本分くらいのゆとりをつけて縫います。前中心側から先にマチ針を打ちます。

2. センターベンツを作る

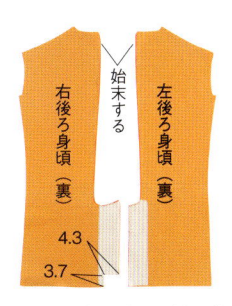

❶左・右後ろ身頃の後ろ中心の縫い代を、衿ぐりから裾まで始末します。右後ろ身頃はベンツ裾を写真のようにカットします。

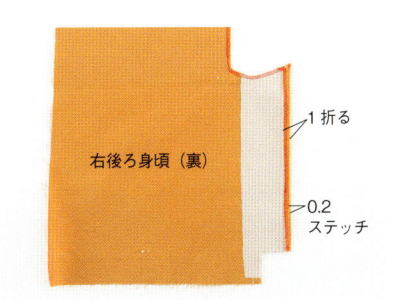

❷右後ろ身頃の後ろ端の縫い代を1cm折り、ステッチをかけます。

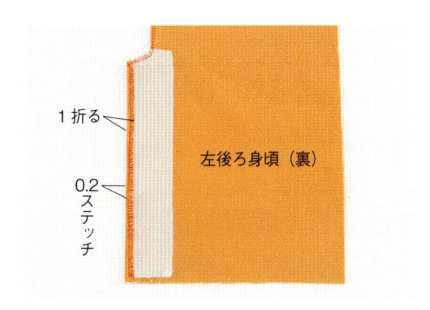

❸左後ろ身頃の後ろ端の縫い代を1cm折り、ステッチをかけます。

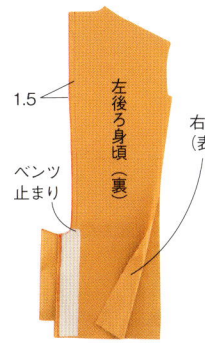

❹左・右後ろ身頃を中表に合わせ、後ろ中心を衿ぐりからベンツ止まりまで縫います。縫い代は左身頃側に倒します。

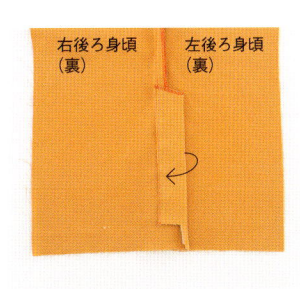

❺右後ろ身頃の後ろ端を折り山で折り返します。左後ろ身頃の後ろ端は後ろ中心で折り返します。

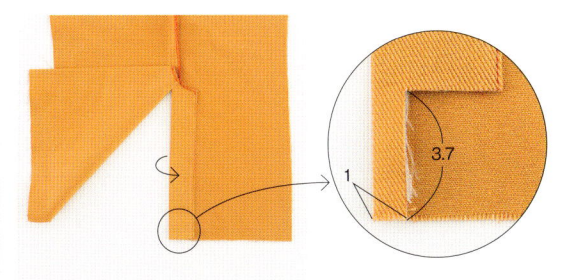

左後ろ身頃の裾をカットします。

❻裾の縫い代を1cm、2.7cmに三つ折りにして折り目をつけておきます。

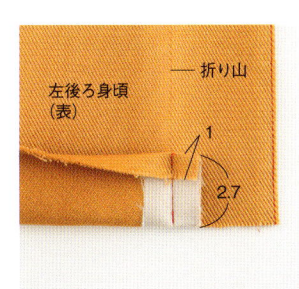

❼左・右後ろ身頃の裾を写真のように折り、折り山線上を縫います。表に返します。

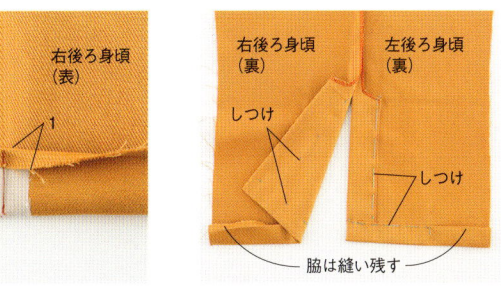

❽裾を三つ折りに折り直し、裾と後ろ身頃の端にしつけをかけます。身頃の脇側は縫い残します。

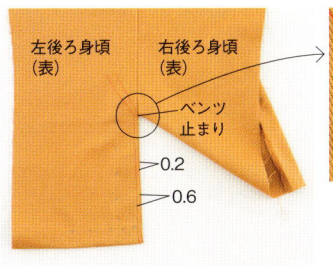

❾左後ろ身頃の裾からベンツ止まりまで後ろ中心にステッチを2本かけます。右後ろ身頃の縫い代は縫い込まないように注意。

ベンツ止まりの糸を10cm程度残して切り、裏側に引き出します。上下糸を2本まとめて根元で結び、糸端を手縫い針に通します。糸が出ているところと同じところから針を入れ、表側に出ないように引き出します。結び目を内側に引き込み、糸を切ります。

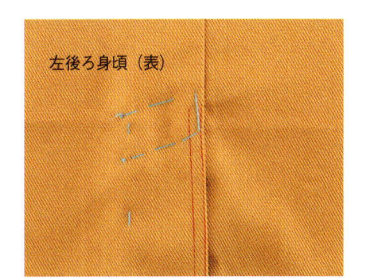

❿後ろ中心を整えて、しつけをかけます。

53

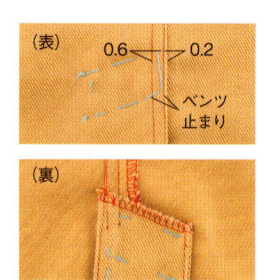

⓫後ろ中心の衿ぐりからベンツ止まりまでステッチを2本かけて縫い代を押さえます。ベンツ止まりの糸端は❾と同様に始末すると表から見たときにステッチがつながったように見えます。

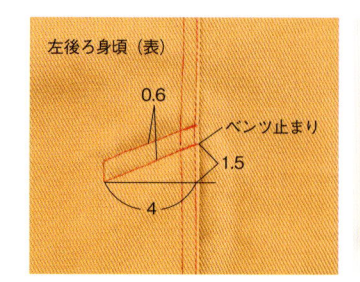

⓬ベンツ止まりに表からステッチをかけます。

3. 前見返しをつける　※右身頃は左右対称に同様に作ります

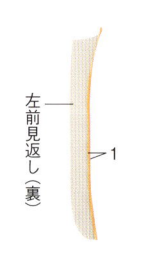

❶前見返しの脇側の縫い代を1cm折ります。

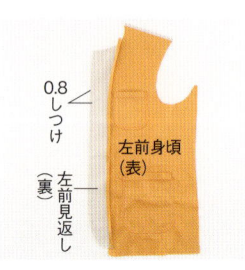

❷前身頃と前見返しを中表に合わせてマチ針を打ち、しつけをかけます。

❸前身頃と前見返しを縫い合わせ、衿つけ止まりから裾まで縫います。しつけ糸は抜きます。

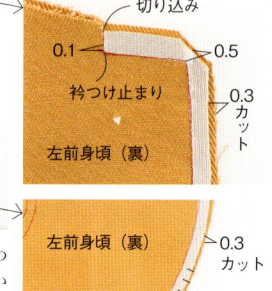

衿つけ止まりに縫い目の0.1cm手前まで切り込みを入れ、身頃側の縫い代を衿つけ止まりから裾まで0.3cm切り落とし、角の縫い代を斜めにカットします。

カーブ部分の縫い代は切り込みを入れます。

❹縫い代を縫い目で前身頃側に折ります。

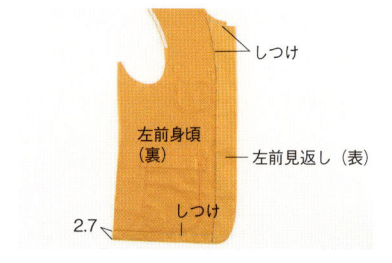

❺前見返しを表に返し、裾は1cm、2.7cmに三つ折りにします。前見返しと裾の途中までしつけをかけます。

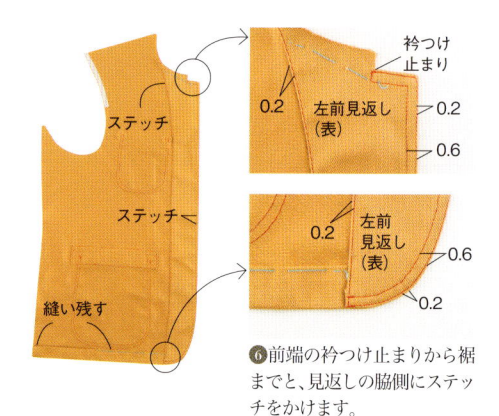

❻前端の衿つけ止まりから裾までと、見返しの脇側にステッチをかけます。

4. 当て布をつける

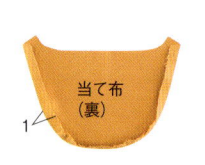

❶ポケットのカーブと同様に、でき上がりサイズに切った型を当てて縫い代をアイロンで折ります。

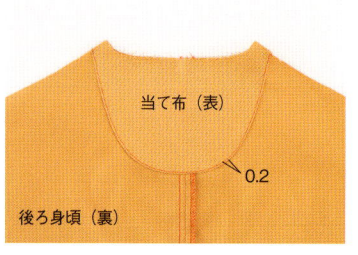

❷後ろ身頃と当て布を外表に合わせ、当て布の周りを縫いつけます。

5. 脇を縫う

前・後ろ身頃を中表に合わせて脇を縫います。縫い代は2枚一緒に始末して後ろ側に倒し、表からステッチを2本かけ押さえます。

6. 裾を縫う

裾を折り目で再度折り、見返しの端からベンツの端まで縫います。

7. 肩を縫う

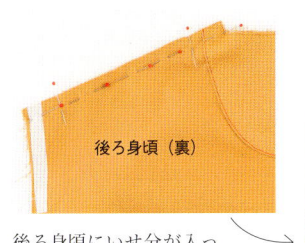

後ろ身頃にいせ分が入っているので、合印を合わせていせが均等に入るようにマチ針を打ちます。

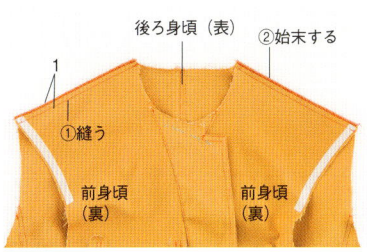

❶前・後ろ身頃を中表に合わせて肩を縫います。縫い代は2枚一緒に始末し、後ろ側に倒します。

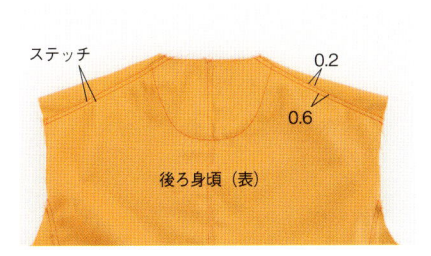

❷肩の縫い代を表からステッチを2本かけて押さえます。

8. 衿を作り、つける

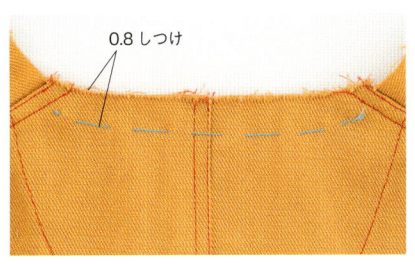

❶後ろ衿ぐりの縫い代にしつけをかけておきます。

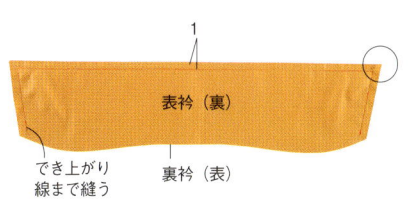

❷表・裏衿を中表に合わせます。表衿の方が大きいので、でき上がり線を合わせて衿先にゆとりをあつめ、しつけをかけてでき上がり線まで縫います。しつけのあと縫い代にアイロンをかけると縫いやすい。

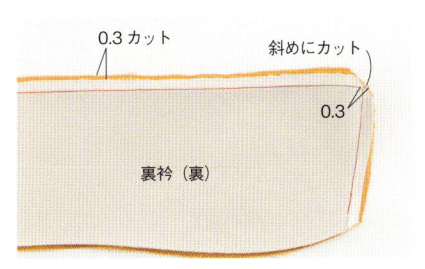

❸裏衿の縫い代を0.3cmカットします。角の縫い代は斜めにカットします。

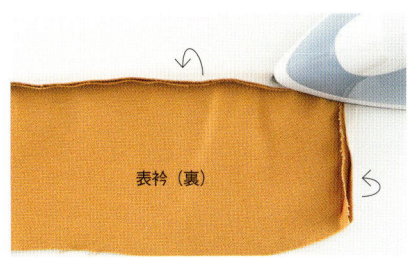

❹縫い代を縫い目で表衿側に折ります。

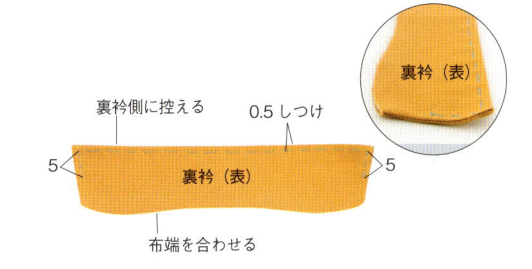

❺衿を表に返し、裏衿側に控えてアイロンをかけます。衿ぐり側の布端を合わせて衿の周りにしつけをかけます。両端は5cm程度のところまでしつけをかけます。

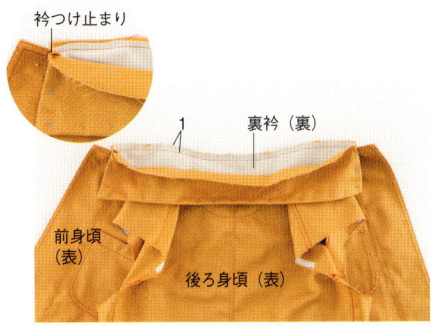

❻裏衿と身頃を中表に合わせ、衿つけ止まりから衿つけ止まりまで縫います。

❼裏衿側に衿を曲げてくせをつけながら、しつけをかけます。

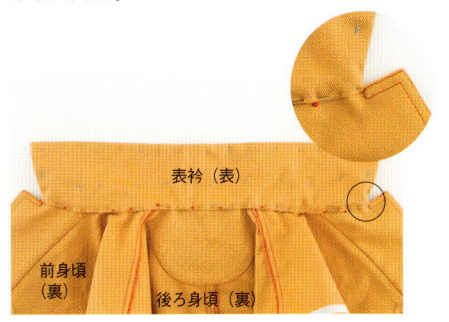

❽ ❻の縫い目を隠すようにして、表衿の縫い代を折ってマチ針を打ちます。袖まんがある場合は裏衿側に袖まんを当ててカーブをつけながらマチ針を打ちます。

❾衿を裏衿側に曲げながら、衿ぐりにしつけをかけます。

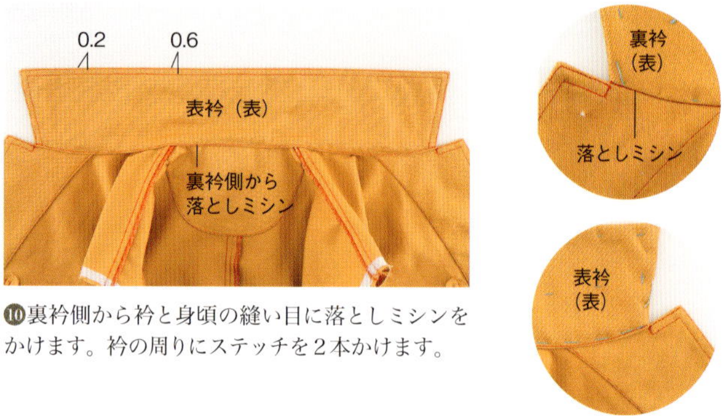

❿裏衿側から衿と身頃の縫い目に落としミシンをかけます。衿の周りにステッチを2本かけます。

9. 袖を作り、つける　※右袖は左右対称に同様に作ります

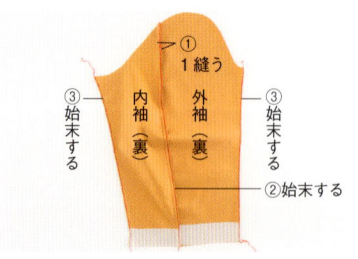

❶外袖と内袖を中表に合わせ、後ろ側の切り替えを縫います。縫い代は2枚一緒に始末し、外袖側に倒します。両側の縫い代はそれぞれ始末します。

❷表からステッチを2本かけて縫い代を押さえます。袖口の縫い代は1cm、2.7cmに三つ折りにして折り目をつけておきます。

❸外袖と内袖を中表に合わせ、前側の切り替え線を縫います。縫い代は割ります。

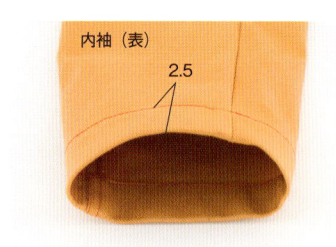

❹袖口の縫い代を❷の折り目で三つ折りにして縫います。

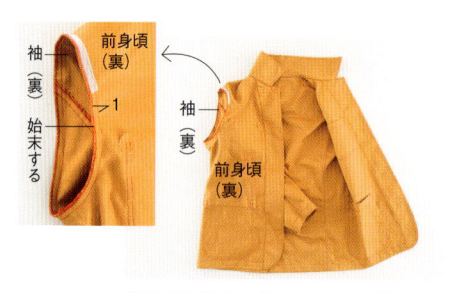

❺身頃と袖を中表に合わせて縫います。縫い代は2枚一緒に始末し、身頃側に倒します。

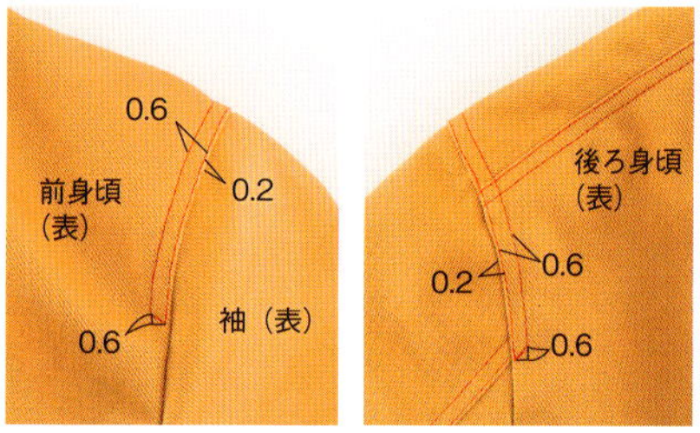

❻身頃の袖山部分にステッチ止まりからステッチ止まりまで、ステッチを2本かけて縫い代を押さえます。

10. ボタンホールを作り、ボタンをつける

❶左前身頃のボタンホール位置にボタンホールを作ります。ボタンホールの形はコートやジャケット用の先が丸くなったハトメ型で作ります。

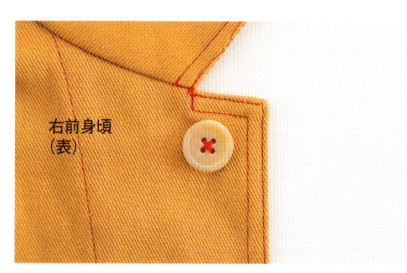

❷右前身頃にボタンをつけます。

でき上がり

homewear
ホームウエア

T パジャマ …………………………… P.58
U ステテコ …………………………… P.59
V トランクス ………………………… P.60

Chapter 5

メンズ服のこだわり **比翼仕立ての前あき**

比翼とは鳥が休む形に似ていることから名づけられた形で、比翼布や余分につけた布を折りかえすことで二重に仕立てます。パジャマ、ステテコの前あきはこの比翼仕立てにして、隠しボタンをつけています。

T | パジャマ
pajamas

How to make …P.61、91

pajamas
心地良い眠りのために……

サックスブルーがさわやかな印象のパジャマ。綿や麻などの手触りの良い生地で作れば、着心地も良く、大切な方へのプレゼントにもぴったりです。レジメンタルストライプという、ネクタイにも使われる柄で作るのもおすすめ。

上着の袖口は別布で縫い代をくるむことで、縫い代が肌に当たらないようにしています。パンツには使いやすい比翼仕立ての前あきもつけています。

生地提供／シュゲール
ボタン提供／ティーエージー

U | ステテコ
suteteko

How to make ...P.61、94

生地提供（右）／デコレクションズ、ボタン提供／アイリスのボタンギフト

suteteko
遊び心がある
流行のリラックスウェア

ルームウェアとしてはもちろん、ちょっとコンビニまでのワンマイルウェアとしても大活躍のおしゃれで快適なアイテム。前あきがあり、ウエストはゴムなので履きやすいデザインです。ソフトなブロード、ダブルガーゼ、シアサッカーなどの生地がおすすめ。遊び心のあるプリントでおしゃれに履きこなしてください。

布の重ね方にひと工夫した前あきですが、P.61のポイント解説でかんたんに仕上げられます。

V | トランクス
trunks

How to make …P.95

ゴムを伸ばして縫いつけるので、内側がもたつかず肌当たりもすっきり。後ろ中心の縫い目がないので、股ぐりがくい込みません。

trunks
履きやすさにこだわった立体仕様

股ぐりにくい込まないカッティングで、履き心地を追及したボクサートランクス。前のあき部分は、重なりを多めに設計しているのでボタンはつけません。縫い方も比較的かんたんで、色や柄で楽しめるアイテムです。

生地提供／布地のお店ソールパーノ、ゴム提供／クロバー

Point Lesson

パジャマ・ステテコの前あき　P.59・60

※前あき以外は P.91、94 を参照。
※ここではわかりやすいように目立つ色の糸を使用しています。

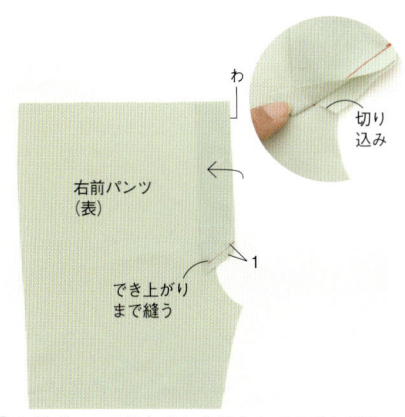

❶右前パンツの持ち出しを折り山で中表に折り、下端をでき上がり線まで縫います。角に向かって縫い目ギリギリまで縫い代に切り込みを入れます。

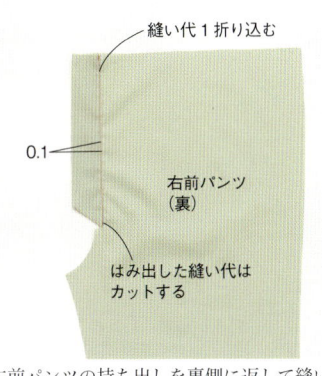

❷右前パンツの持ち出しを裏側に返して縫い代を折り込み、コバステッチをかけます。

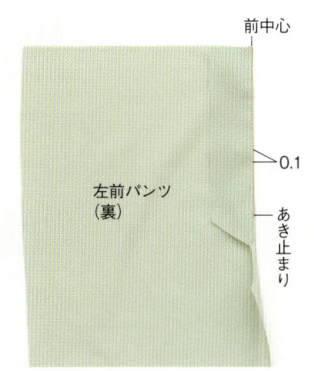

❸左前パンツの見返しを前中心で折り、あき止まりまでコバステッチをかけます。

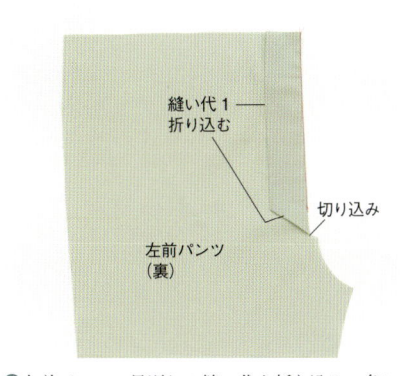

❹左前パンツの見返しの縫い代を折り込み、角に切り込みを入れます。

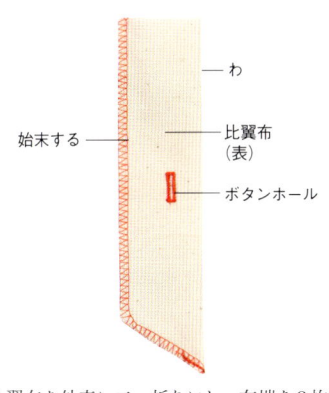

❺比翼布を外表に二つ折りにし、布端を2枚一緒に始末します。ボタンホール位置にボタンホールを作ります。

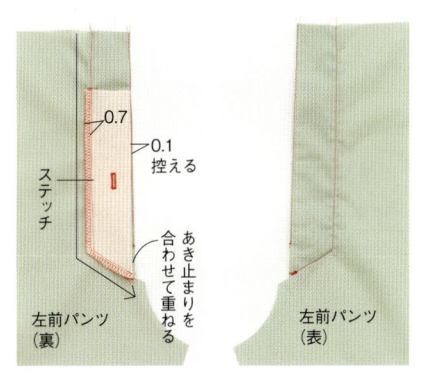

❻左前パンツの見返しと比翼布のあき止まりを合わせて重ね、ステッチをかけます。

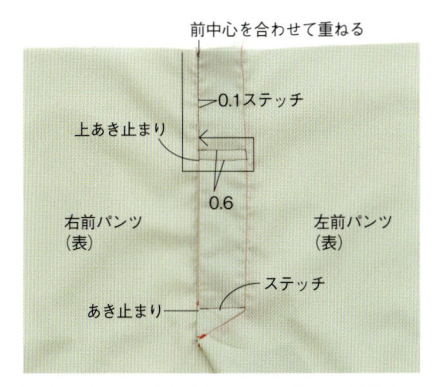

❼右前パンツの上に左前パンツを重ね、前中心を合わせます。ウエストから上あき止まりまでステッチを重ねてかけ、補強のため四角に縫います。あき止まりにもステッチをかけます。

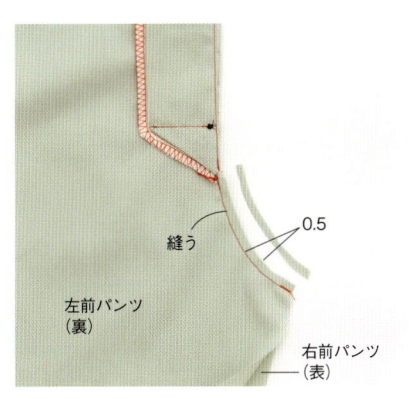

❽左・右前パンツを中表に重ねて前股ぐりを縫います。縫い代は0.5cmにカットして左前パンツ側に倒します。

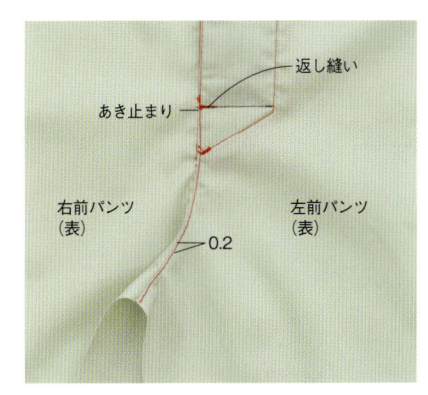

❾あき止まりより下の前股ぐりにコバステッチをかけ、縫い代を押さえます。あき止まりに返し縫いをします。

SIZE
サイズについて

【サイズの測り方】
下着の状態で測り、自分のヌード寸法を知りましょう。

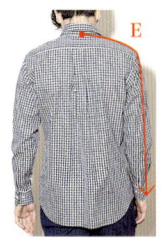

A 首まわり
首のつけ根まわりを1周測り、2cm足した寸法。

B 胸囲
胸まわりの1番高い部分を1周測った寸法。

C ウエスト
胴まわりの1番細い部分を1周測った寸法。

D ヒップ
腰まわりの1番大きい部分を1周測った寸法。

E 裄丈（ゆきたけ）
背中の首のつけ根の骨部分から、肩先を通って手首の突起した骨の部分までの寸法。

【ヌードサイズ】
ヌードサイズを当てはめて自分のサイズを確認しましょう。

サイズ	S	M	L	LL	3L
身長	161-169	166-174	171-179	176-184	181-189
（中心）	165	170	175	180	185
バスト	88	92	96	100	104
ウエスト	76	80	84	88	92
ヒップ	90	94	98	102	106
肩幅	43.5	45	46.5	48	49.5

サイズを選ぶとき、最も失敗しやすいのが大きすぎるサイズを選んでしまうこと。大きすぎるサイズを着ると、細身の人は貧弱に、大柄の人はだらしく見えてしまいます。ジャストサイズの服選びが、格好よく見える服と出合える第一条件です。

【でき上がりサイズの測り方】
作り方ページに掲載しているでき上がりサイズは、下記の部分を測っています。
ヌードサイズと合わせて確認してサイズを選んでください。

● トップス

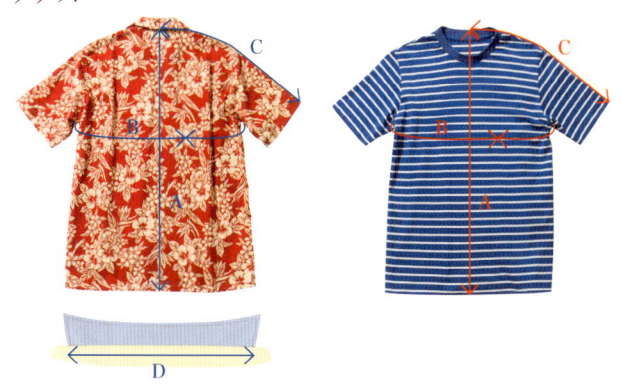

A 着丈　後ろ中心を測ります。衿がつくものは衿下から、カットソーは衿ぐりのリブ込みで裾までの寸法。

B 胸まわり　胸囲位置で1周測った寸法。

C 裄丈　衿ぐりの後ろ中心から肩先を通り、袖口までの寸法。

D 首まわり　台衿の前中心から前中心までの寸法。

● パンツ

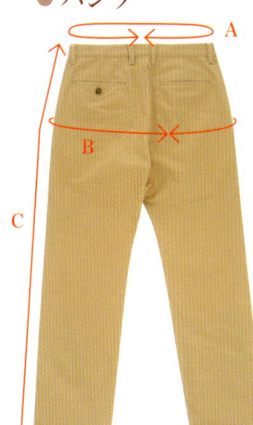

A ウエスト
前あきがあるものは閉めた状態で、上端を1周測った寸法。

B ヒップ
ヒップ位置で1周測った寸法。

C パンツ総脇丈
脇の上端から裾までの寸法（ベルトも含む）。

【サイズの補正】

◆胸囲寸法を変える

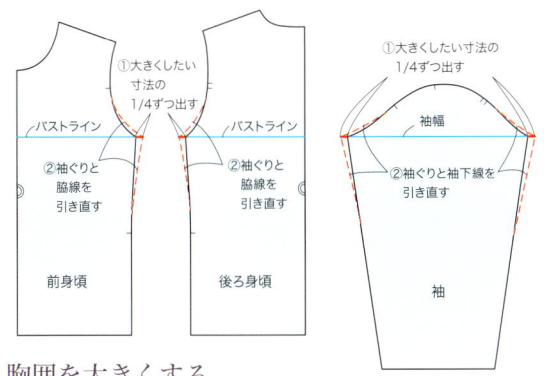

● 胸囲を大きくする

身頃は、バストラインを延長し、脇の袖下位置で大きくしたい寸法の1/4ずつを出します。脇線、袖ぐり線を自然につなげます。袖も袖幅を延長し、両端を1/4ずつ出して自然につなげます。袖山と袖ぐりの寸法が合っているか確認します。

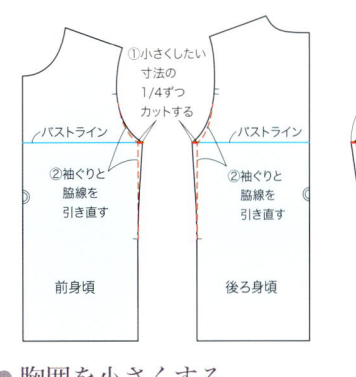

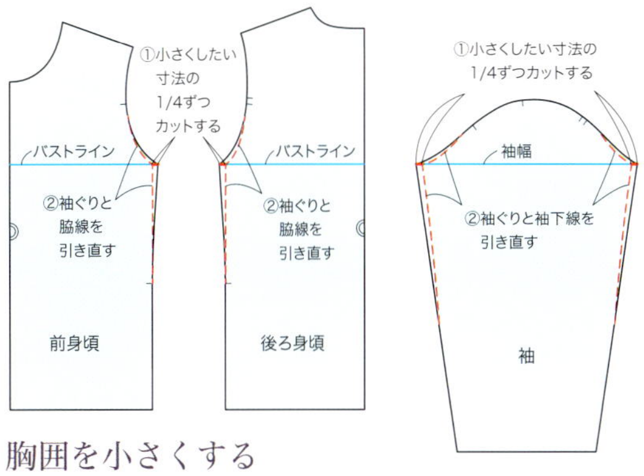

● 胸囲を小さくする

身頃は、脇の袖下位置で小さくしたい寸法の1/4ずつをバストライン上でカットします。脇線、袖ぐり線を自然につなげます。袖も両端を1/4ずつカットし、自然につなげます。袖山と袖ぐりの寸法が合っているか確認します。

◆着丈を変える

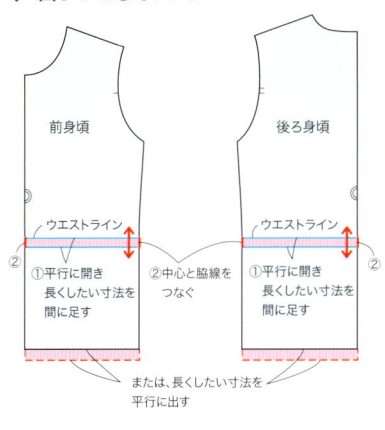

● 着丈を長くする

ウエストラインを切り開き、長くしたい寸法を間に足して、脇線や中心線をつなぎ直します。もしくは、裾線を平行に出しますが、裾が広がったデザインの場合は裾幅も広くなってしまうので注意しましょう。

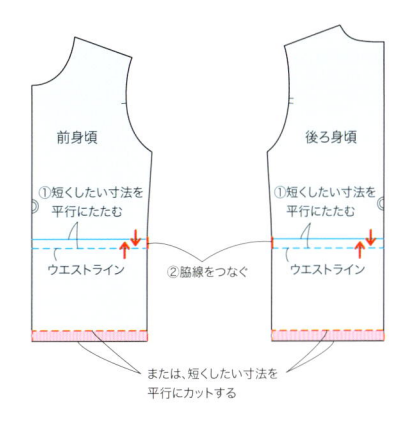

● 着丈を短くする

ウエストラインで短くしたい寸法をたたみ、脇線をつなぎ直します。もしくは、裾線を平行にカットする方法もありますが、裾が広がったデザインの場合は裾幅が狭くなってしまうので注意しましょう。

◆袖丈を変える

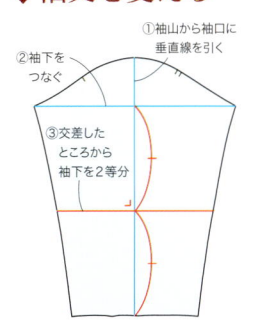

袖山から袖口に垂直線を引きます。袖下をつなげて、2本の線が交わっている部分から袖下を2等分して垂直線を引きます。

長袖

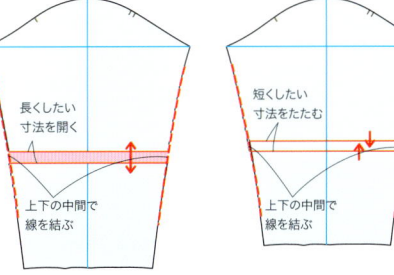

● 長くする

2等分した垂直線で切り開き、長くしたい寸法分を間に足します。袖下線は、上下の線の中間で線を自然につなぎます。

● 短くする

2等分した垂直線で、短くしたい寸法分をたたみ、袖下線を自然につなぎます。

半袖

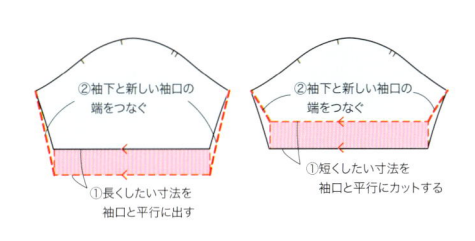

● 長くする

袖口に対して長くしたい寸法分を平行に出します。袖口の長さは変えないように注意。平行に出した両端と袖下をつなぎます。

● 短くする

袖口に対して短くしたい寸法を平行にカットします。袖口の長さは変えないように注意。カットした両端と袖下をつなぎます。

【パンツの股下丈を変える】

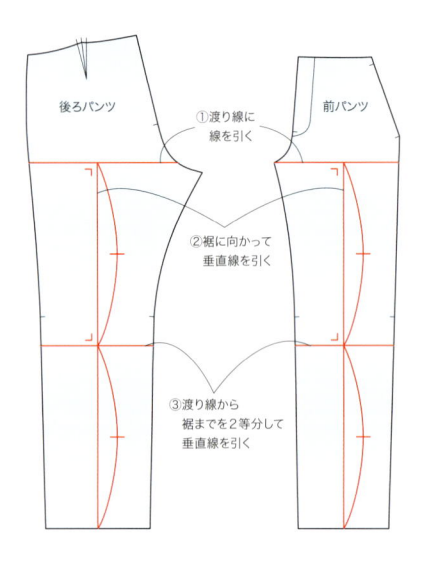

渡り線から垂直に裾まで線を引き、2等分します。2等分したところから垂直線を引きます。

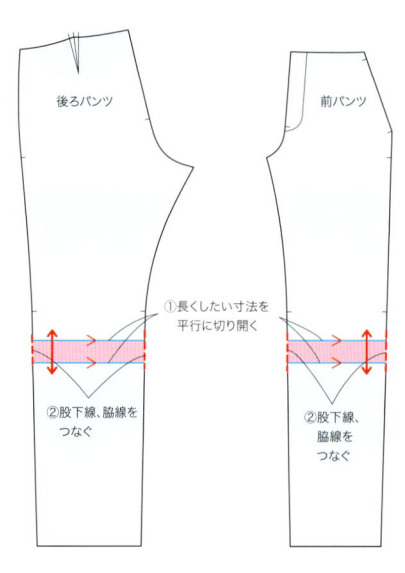

● 股下丈を長くする

2等分した垂直線を切り開き、間に長くしたい寸法分を足して股下線と脇線を自然につなげます。

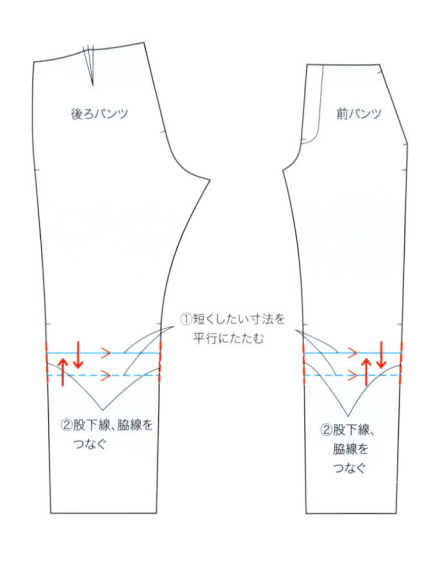

● 股下丈を短くする

2等分した垂直線で、短くしたい寸法分をたたみ、股下線と脇線を自然につなげます。

【パンツの幅を変える】

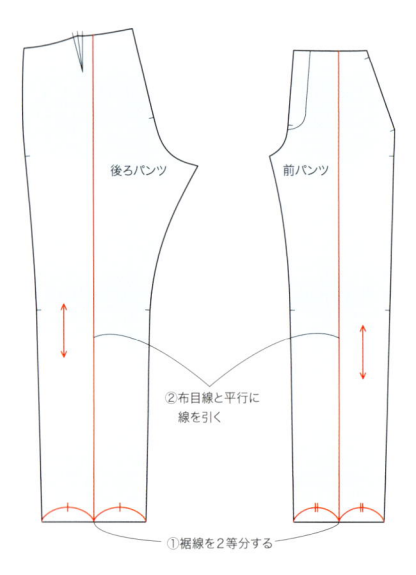

裾幅を2等分したところで、布目線と平行に上端まで線を引きます。

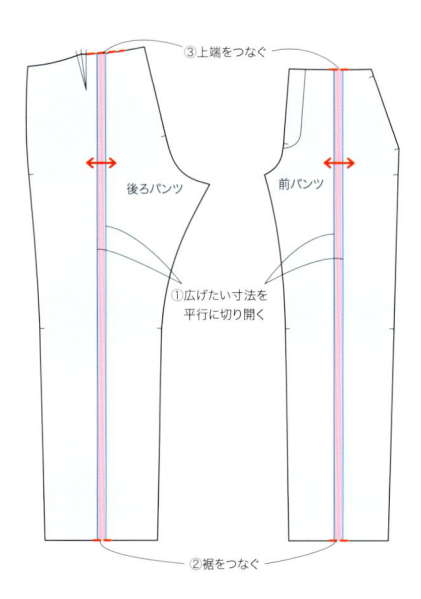

● パンツの幅を出す

2等分した線で、出したい長さの1/4を平行に切り開きます。上端と裾は自然につなげます。

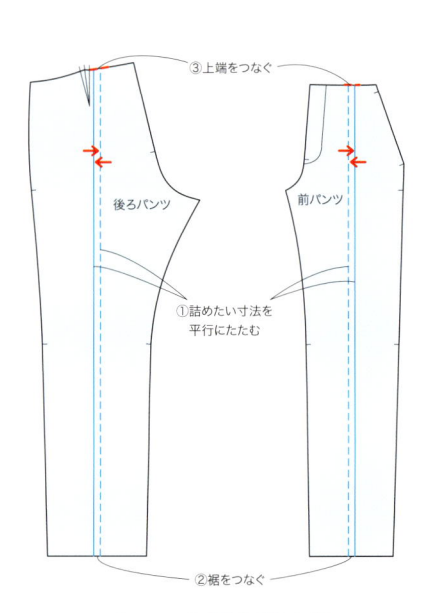

● パンツの幅を詰める

2等分した線で、詰めたい長さの1/4をたたみます。上端と裾は自然につなげます。

How to make

作り始める前に

◆材料や寸法の表記に複数の数字がある場合は、左または上からS/M/L/LL/3Lサイズを表しています。

◆材料の用尺は幅×長さの順で表記しています。柄合わせが必要な場合は、掲載の用尺よりも多く必要になる場合があります。

◆図の中で、特に指定のない数字の単位はcmです。

◆裁ち方図はMサイズを基準に起こしています。異なるサイズを作る場合や使用する布によっては違いが生じる場合があるので、必ず型紙を置いて確認しましょう。サイズについてはP.62を参照。

◆直線だけのパーツは型紙がついていないものもあります。裁ち方図に記載されている寸法を参照し、布に直線を引いて（縫い代分も忘れず）裁断してください。

◆実物大型紙には、縫い代が含まれていません。裁ち方図を参照し、指定の縫い代をつけてください。型紙の使い方はP.6を参照。

◆パンツのでき上がりサイズは、型紙に前あきの重なり分と縫い縮み分がプラスされていますので、ウエストのでき上がりサイズは型紙より小さく（約2cm）表記しています。

洋服の部分名称

洋服は細かい部分にも名称がついています。作り始める前に名称を覚えておくと、どこにつくどんなパーツなのかがわかるのでスムーズに作業を進めることができます。

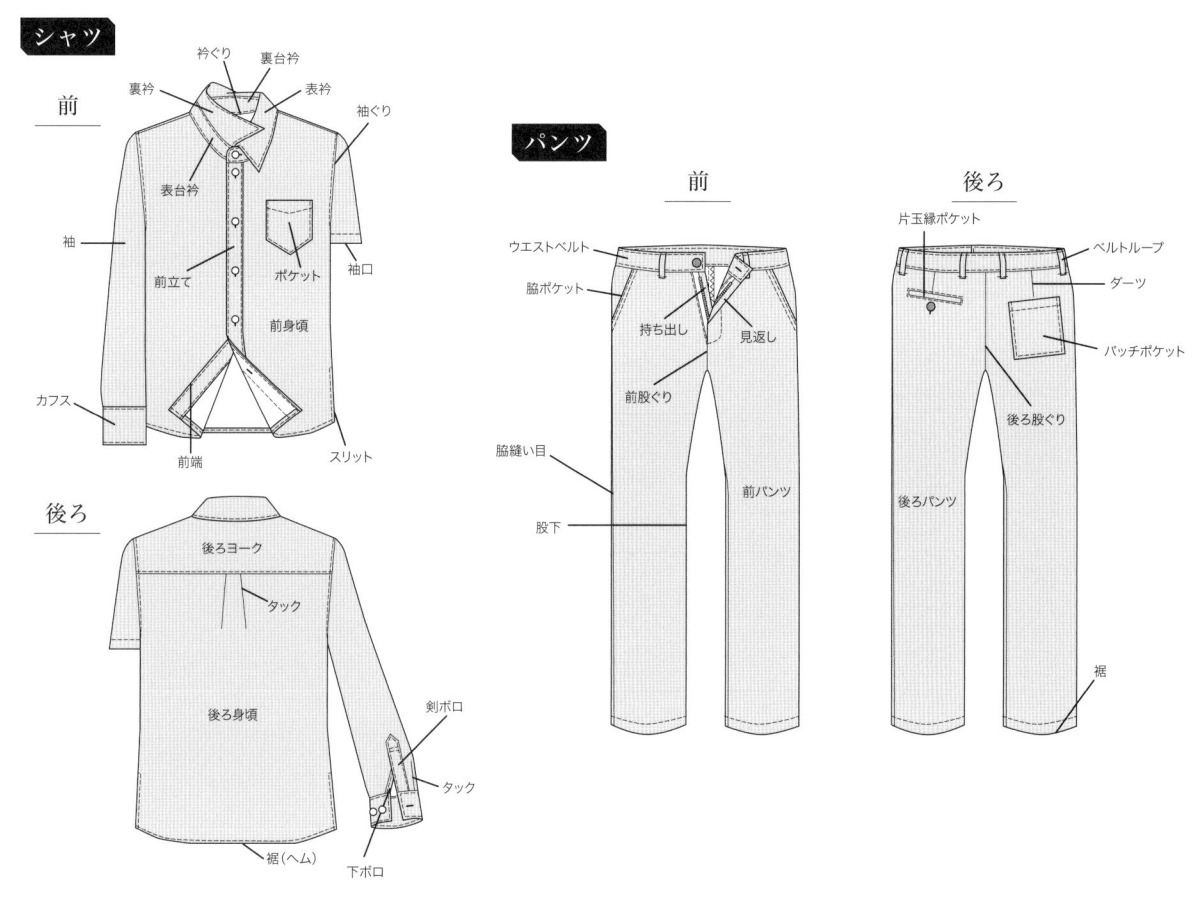

シャツ

前：衿ぐり、裏台衿、裏衿、表衿、表台衿、袖ぐり、袖、ポケット、前立て、袖口、前身頃、カフス、前端、スリット

後ろ：後ろヨーク、タック、後ろ身頃、剣ボロ、タック、裾（ヘム）、下ボロ

パンツ

前：ウエストベルト、脇ポケット、持ち出し、見返し、前股ぐり、脇縫い目、前パンツ、股下

後ろ：片玉縁ポケット、ベルトループ、ダーツ、パッチポケット、後ろ股ぐり、後ろパンツ、裾

A　レギュラーカラーシャツ　P.10

[実物大型紙]

A面[A]
1前身頃、2後ろヨーク、3後ろ身頃、4前立て、5袖、6カフス、7剣ボロ、8下ボロ、9ポケット、10台衿、11衿

[でき上がりサイズ]（左からS/M/L/LL/3L）

着丈　　71/73/75/77/79cm
胸まわり　106/110/114/118/122cm
裄丈　　80/82/84/86/88cm
首まわり　38/39.5/41/42.5/44cm

[材料]

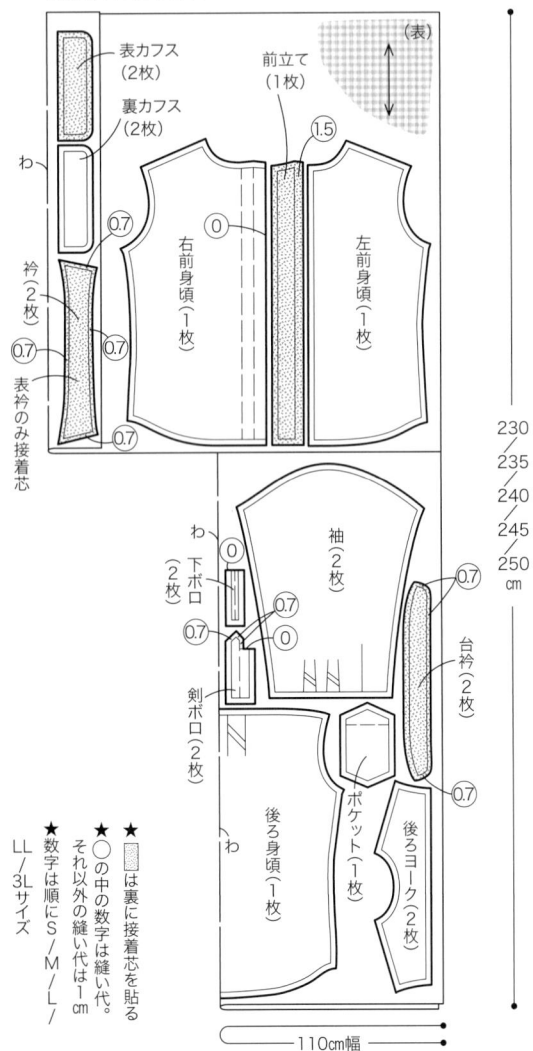

播州織ギンガムチェック　110cm幅×230/235/240/245/250cm
直径1.15cmのボタン　11個
接着芯　60×80cm

裁ち方図

縫い方順序　　準備　表衿、台衿、表カフス、前立てに接着芯を貼る。（裁ち方図参照）

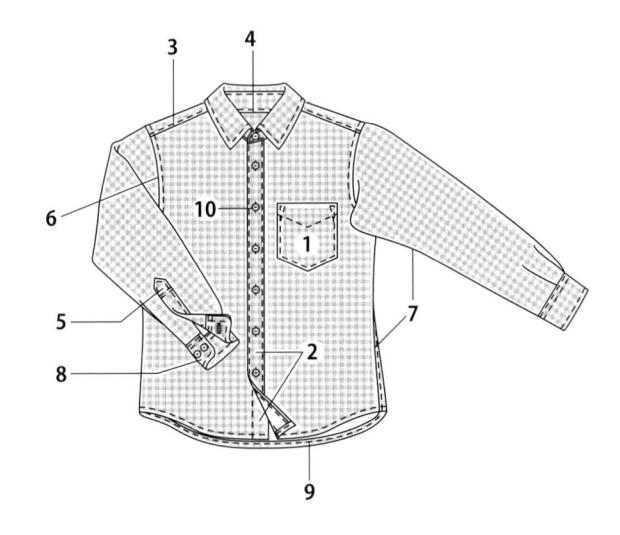

作り方はP.16〜20参照

B ワイドスプレッドカラーシャツ P.12

[実物大型紙]

A面[B]
1 前身頃、2 後ろヨーク、3 後ろ身頃、4 前立て、5 袖、6 カフス、7 剣ボロ、8 下ボロ、9 ポケット、10 台衿、11 衿

[でき上がりサイズ]（左からS/M/L/LL/3L）

着丈　　71/73/75/77/79cm
胸まわり　106/110/114/118/122cm
裄丈　　80/82/84/86/88cm
首まわり　38/39.5/41/42.5/44cm

[材料]

先染めブロードシャンブレー　110cm幅×225/230/235/245/250cm
直径1.15cmのボタン　11個
接着芯　60×80cm

裁ち方図

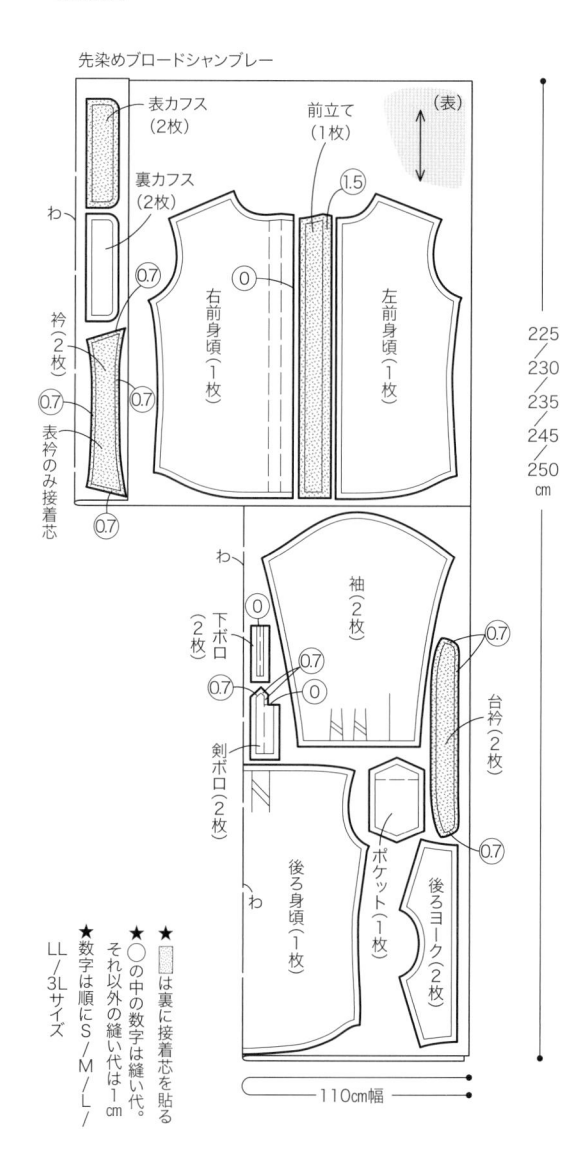

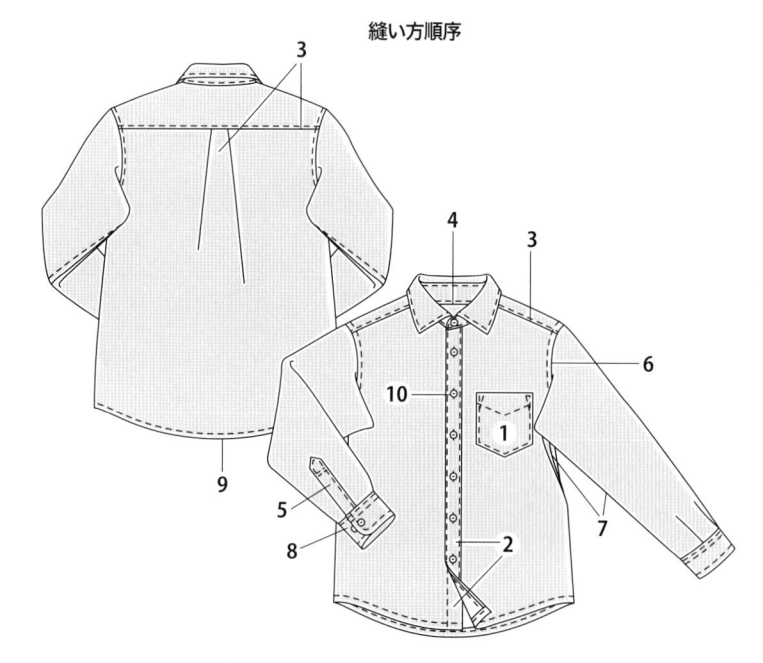

縫い方順序

4 以外の作り方は **A** レギュラーカラーシャツと同様（P.66参照）

4 衿を作り、つける

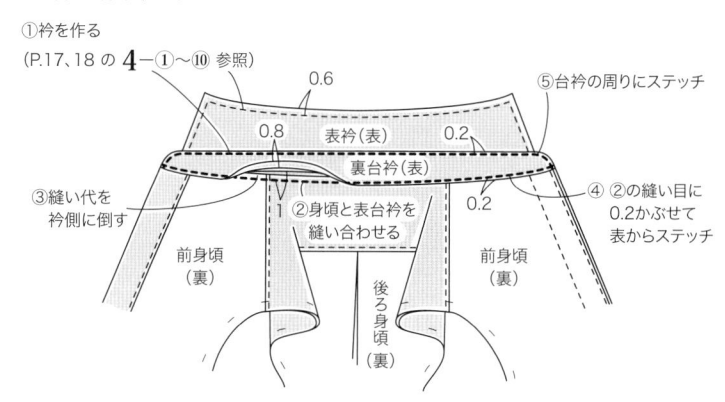

①衿を作る
（P.17、18の **4**—①〜⑩参照）

②身頃と表台衿を縫い合わせる
③縫い代を衿側に倒す
④②の縫い目に0.2かぶせて表からステッチ
⑤台衿の周りにステッチ

D ウエスタンシャツ P.14

[実物大型紙]

B面[D]
1 前身頃、2 前ヨーク、3 後ろ身頃、4 後ろヨーク、5 前立て、6 袖、7 カフス、8 剣ボロ、9 下ボロ、10 台衿、11 衿、12 ポケット、13 フラップ

[でき上がりサイズ]（左から S/M/L/LL/3L）

着丈　71/73/75/77/79cm
胸まわり　106/110/114/118/122cm
裄丈　80/82/84/86/88cm
首まわり　38/39.5/41/42.5/44cm

[材料]

コットン（チェック柄）Autumn CheckC
110cm幅 ×270/275/280/285/290cm
直径1.15cmのパールドットボタン　17組
接着芯　90cm幅 ×85cm

裁ち方図

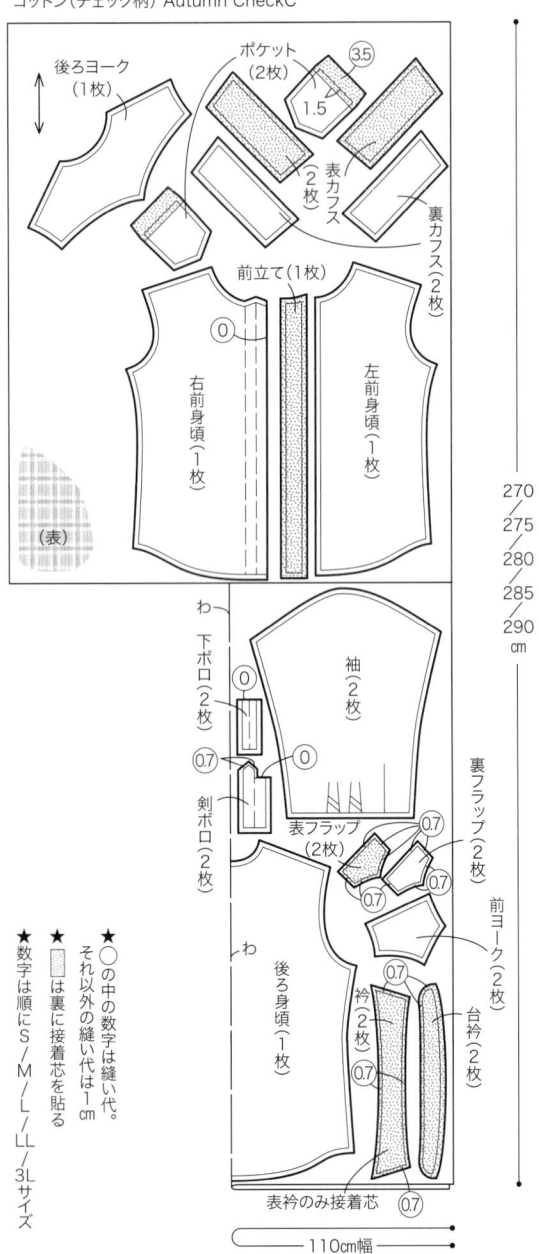

縫い方順序

準備　表衿、台衿、前立て、表フラップ、ポケット口、表カフスに接着芯を貼る。（裁ち方図参照）

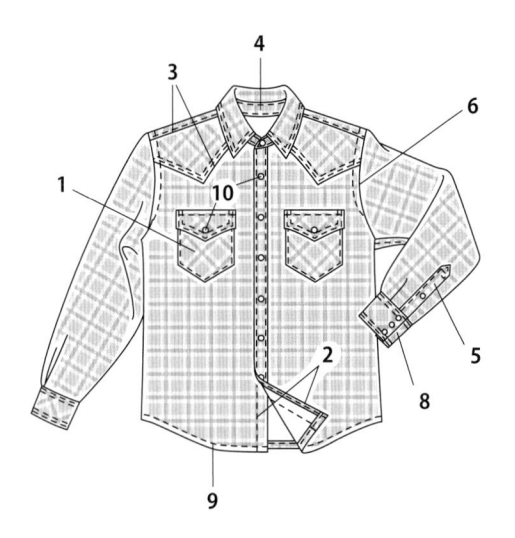

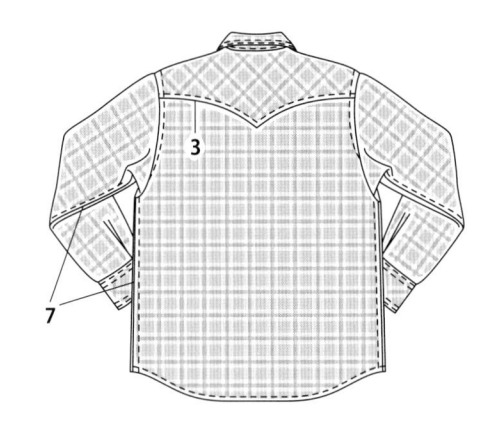

1 ポケットを作り、つける

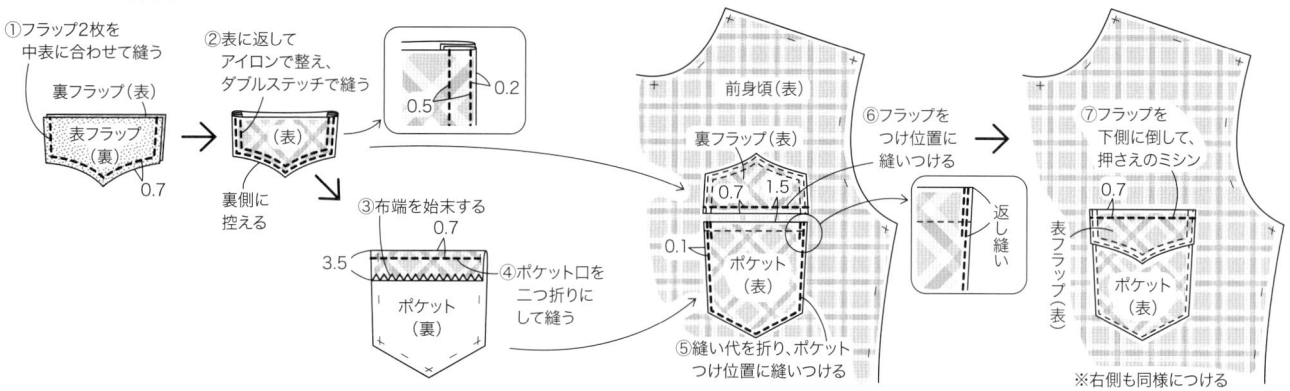

①フラップ2枚を中表に合わせて縫う
裏フラップ(表)
表フラップ(裏)
0.7

②表に返してアイロンで整え、ダブルステッチで縫う
(表)
0.5　0.2
裏側に控える

③布端を始末する
0.7
3.5
ポケット(裏)

④ポケット口を二つ折りにして縫う

前身頃(表)
裏フラップ(表)
0.7　1.5
0.1
ポケット(表)
⑤縫い代を折り、ポケットつけ位置に縫いつける

⑥フラップをつけ位置に縫いつける
返し縫い

⑦フラップを下側に倒して、押さえのミシン
0.7
表フラップ(表)
ポケット(表)
※右側も同様につける

2 前端を縫う (P.16の **2** 参照。ただし、各寸法は下図参照)

ステッチ
右前身頃(表)
2.3
2.5cmの完全三つ折り

0.2 ステッチ
前立て(表)
左前身頃(表)
0.2 ステッチ
前立てを身頃より0.5cm出して折る

3 身頃の肩を縫い合わせ、ヨークを作ってつける

前身頃(表)
①前・後ろ身頃を外表に合わせて肩を縫う
1
②縫い代を割る
後ろ身頃(表)

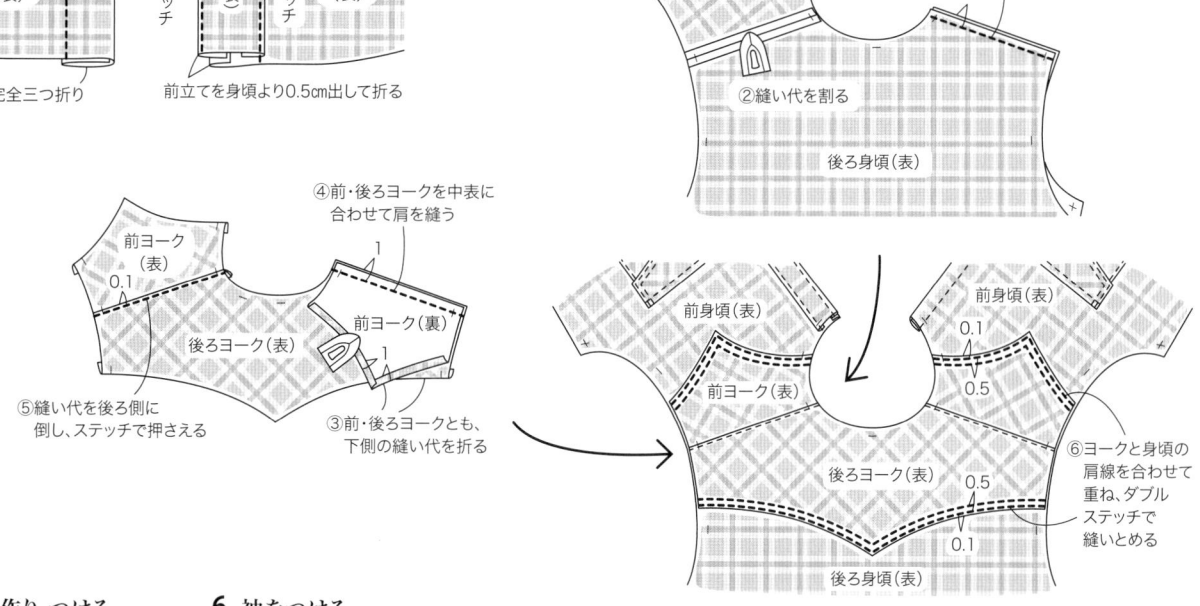

④前・後ろヨークを中表に合わせて肩を縫う
前ヨーク(表)
0.1
後ろヨーク(表)
前ヨーク(裏)
1
⑤縫い代を後ろ側に倒し、ステッチで押さえる
③前・後ろヨークとも、下側の縫い代を折る

前身頃(表)
前ヨーク(表)
0.1
0.5
後ろヨーク(表)
後ろ身頃(表)
0.5
0.1
⑥ヨークと身頃の肩線を合わせて重ね、ダブルステッチで縫いとめる

4 衿を作り、つける
(P.17~18の **4** 参照。ただし、⑤のステッチ幅は下図参照)

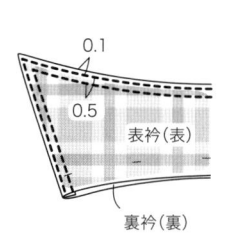

0.1
0.5
表衿(表)
裏衿(裏)

5 剣ボロあきを作る
(P.18~19の **5** 参照)

6 袖をつける
(P.19の **6** 参照。ただし、②のステッチ幅は下図参照)

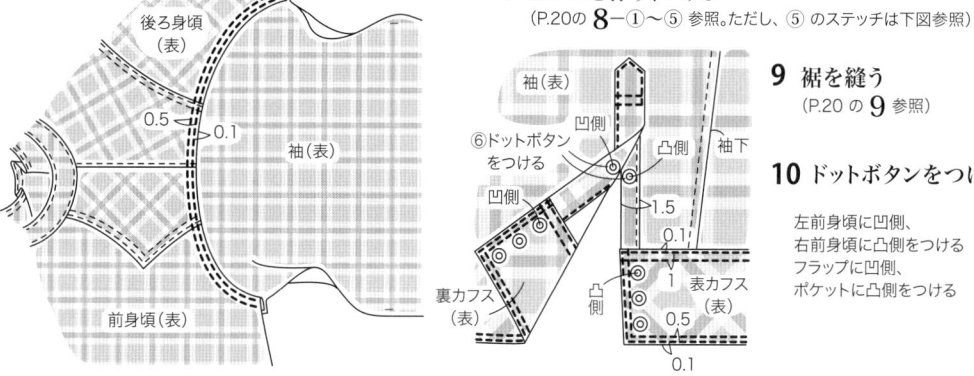

後ろ身頃(表)
0.5　0.1
袖(表)
前身頃(表)

7 袖下から脇を続けて縫う (P.19の **7** 参照)

8 カフスを作り、つける
(P.20の **8**-①~⑤参照。ただし、⑤のステッチは下図参照)

袖(表)
⑥ドットボタンをつける
凸側
凹側
袖下
凹側
1.5
裏カフス(表)
凸側
表カフス(表)
0.1
1　0.5
0.1

9 裾を縫う
(P.20の **9** 参照)

10 ドットボタンをつける

左前身頃に凹側、右前身頃に凸側をつけるフラップに凹側、ポケットに凸側をつける

E アロハシャツ P.15

[実物大型紙]
B面[E]
1 前身頃、2 後ろヨーク、3 後ろ身頃、
4 袖、5 衿、6 ポケット

[でき上がりサイズ](左から S/M/L/LL/3L)
着丈　68/70/72/74/76cm
胸まわり　105/109/113/117/121cm
裄丈　45/46.3/47.5/48.8/50cm

[材料]
コットン生地（ハイビスカス・プルメリア柄）
112cm幅×175/180/185/190/195cm
直径1.15cmのボタン　6個
接着芯　35×85cm

縫い方順序

裁ち方図
コットン生地（ハイビスカス・プルメリア柄）

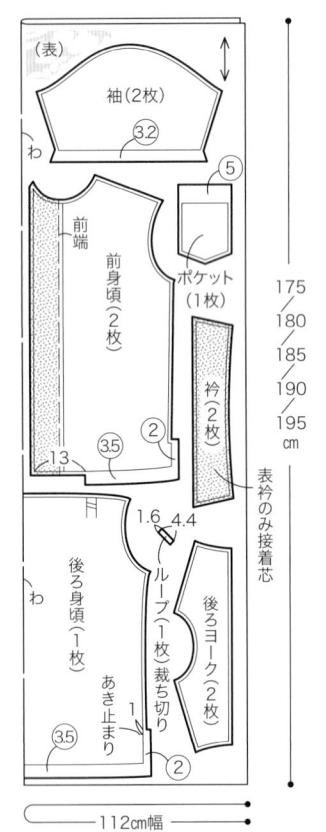

★ ○の中の数字は縫い代。それ以外の縫い代は1cm
★ ▨は裏に接着芯を貼る
★ 数字は順にS/M/L/LL/3Lサイズ

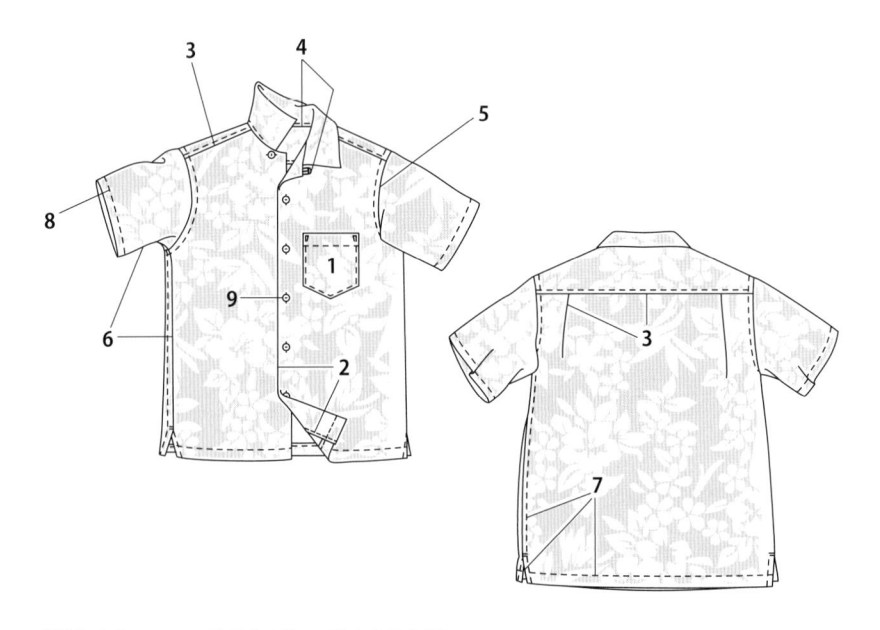

準備　表衿、見返しに接着芯を貼る。（裁ち方図参照）

1 ポケットを作り、つける

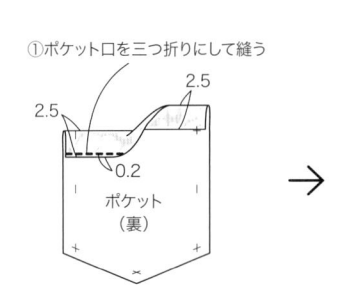

①ポケット口を三つ折りにして縫う

②縫い代を折り、ポケットつけ位置に縫いつける（P.16の **1** の③④参照）

2 見返しを縫う

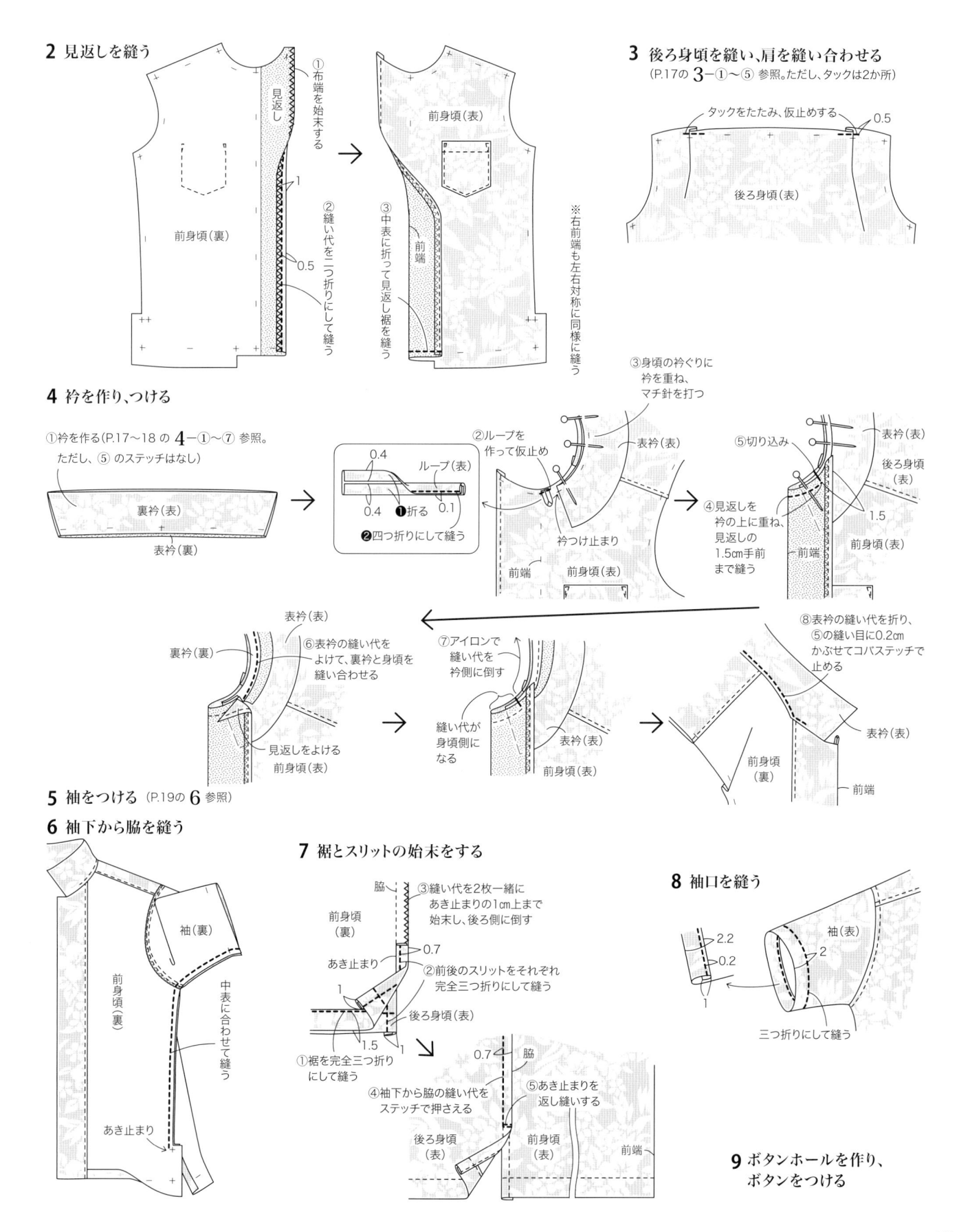

① 布端を始末する
② 縫い代を二つ折りにして縫う
③ 中表に折って見返し裾を縫う

見返し
前身頃(裏)
前身頃(表)
前端
1
0.5

※右前端も左右対称に同様に縫う

3 後ろ身頃を縫い、肩を縫い合わせる
(P.17の 3 －①～⑤ 参照。ただし、タックは2か所)

タックをたたみ、仮止めする
0.5
後ろ身頃(表)

4 衿を作り、つける

① 衿を作る(P.17～18 の 4 －①～⑦ 参照。ただし、⑤ のステッチはなし)

裏衿(表)
表衿(裏)

② ループを作って仮止め
ループ(表)
0.4
0.4
0.1
❶折る
❷四つ折りにして縫う

③ 身頃の衿ぐりに衿を重ね、マチ針を打つ
表衿(表)
衿つけ止まり
前端
前身頃(表)

④ 見返しを衿の上に重ね、見返しの1.5cm手前まで縫う
⑤ 切り込み
後ろ身頃(表)
1.5
前身頃(表)
前端

⑥ 表衿の縫い代をよけて、裏衿と身頃を縫い合わせる
裏衿(裏)
表衿(表)
見返しをよける
前身頃(表)

⑦ アイロンで縫い代を衿側に倒す
縫い代が身頃側になる
表衿
前身頃(表)

⑧ 表衿の縫い代を折り、⑤の縫い目に0.2cmかぶせてコバステッチで止める
表衿(表)
前身頃(裏)
前端

5 袖をつける (P.19の 6 参照)

6 袖下から脇を縫う

袖(裏)
前身頃(裏)
中表に合わせて縫う
あき止まり

7 裾とスリットの始末をする

脇
③ 縫い代を2枚一緒にあき止まりの1cm上まで始末し、後ろ側に倒す
前身頃(裏)
あき止まり
0.7
② 前後のスリットをそれぞれ完全三つ折りにして縫う
後ろ身頃(表)
1
1.5
1
① 裾を完全三つ折りにして縫う

④ 袖下から脇の縫い代をステッチで押さえる
後ろ身頃(表)
0.7
脇
⑤ あき止まりを返し縫いする
前身頃(表)
前端

8 袖口を縫う

2.2
袖(表)
2
0.2
1
三つ折りにして縫う

9 ボタンホールを作り、ボタンをつける

C スタンドカラーシャツ P.13

[実物大型紙]

A面［C］
1 前身頃、2 後ろヨーク、3 後ろ身頃、
4 前立て、5 袖、6 カフス、7 剣ボロ、
8 下ボロ、9 ポケット、10 衿

[でき上がりサイズ]（左からS/M/L/LL/3L）

着丈　71/73/75/77/79cm
胸まわり　106/110/114/118/122cm
裄丈　80/82/84/86/88cm
首まわり　38/39.5/41/42.5/44cm

[材料]

オックス 110cm幅 ×205/210/215/220/225cm
直径1.15cmのボタン　11個
接着芯 50×80cm

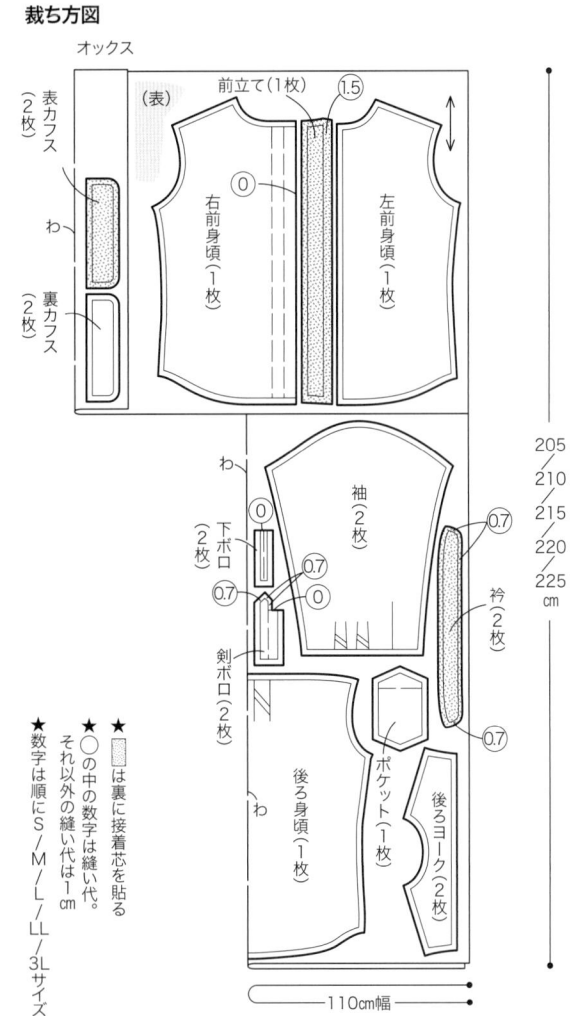

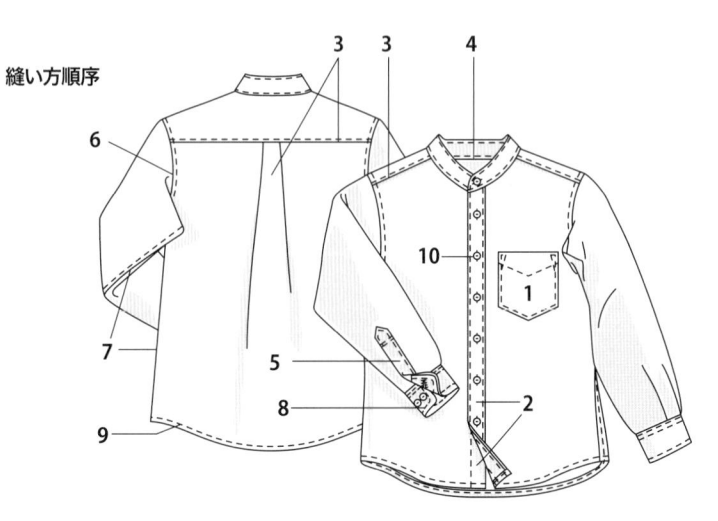

縫い方順序

4以外の作り方は **A** レギュラーカラーシャツと同様（P.66参照）

4 衿を作り、つける

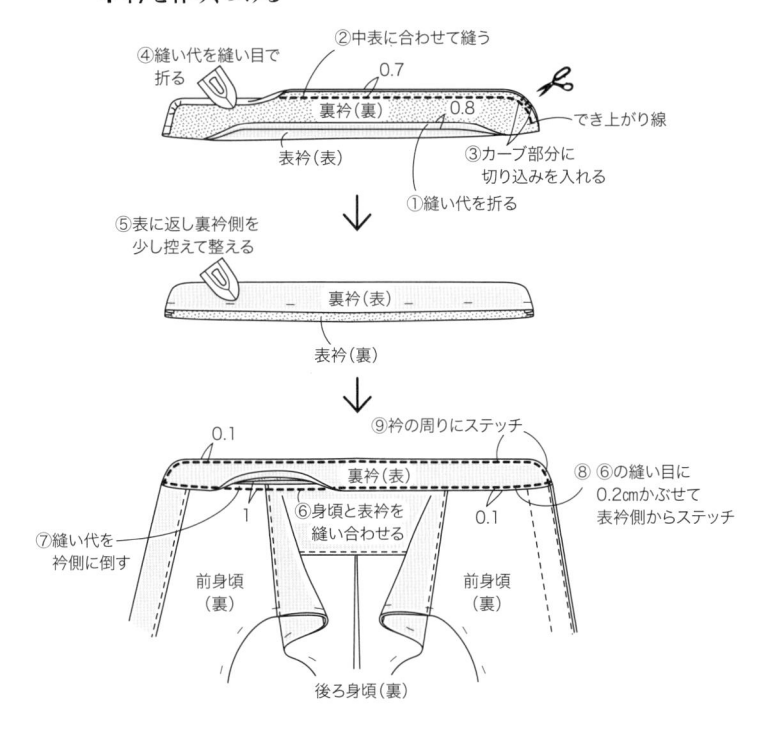

F クルーネックTシャツ P.22

[実物大型紙]
D面[F]
1 前身頃、2 後ろ身頃、3 袖

[でき上がりサイズ]（左からS/M/L/LL/3L）
着丈　64/66/68/70/72cm
胸まわり　98/102/108/114/120cm
裄丈　42/43.5/45/46.5/48cm

[材料]
綿40双糸天竺ニット（ボーダー）　170cm幅×105/110/110/115/115cm、綿30スパンフライス（ロイヤルブルー）50cm幅×10cm、1cm幅の伸び止めテープ　35cm

裁ち方図

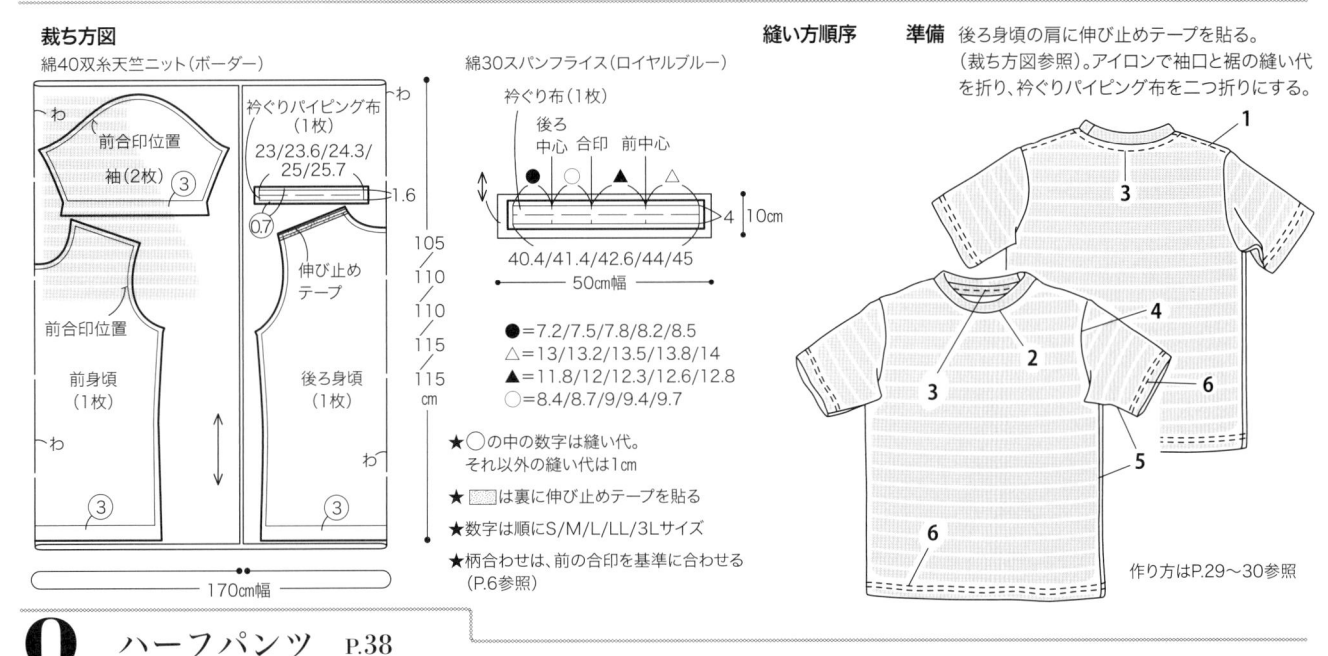

綿40双糸天竺ニット（ボーダー）
- 袖（2枚）
- 前身頃（1枚）
- 後ろ身頃（1枚）
- 衿ぐりパイピング布（1枚）23/23.6/24.3/25/25.7
- 伸び止めテープ
- 170cm幅

綿30スパンフライス（ロイヤルブルー）
衿ぐり布（1枚）
後ろ中心　合印　前中心
40.4/41.4/42.6/44/45
50cm幅　4　10cm
105/110/110/115/115cm

●=7.2/7.5/7.8/8.2/8.5
△=13/13.2/13.5/13.8/14
▲=11.8/12/12.3/12.6/12.8
○=8.4/8.7/9/9.4/9.7

★○の中の数字は縫い代。それ以外の縫い代は1cm
★▨は裏に伸び止めテープを貼る
★数字は順にS/M/L/LL/3Lサイズ
★柄合わせは、前の合印を基準に合わせる（P.6参照）

縫い方順序

準備　後ろ身頃の肩に伸び止めテープを貼る。（裁ち方図参照）。アイロンで袖口と裾の縫い代を折り、衿ぐりパイピング布を二つ折りにする。

作り方はP.29〜30参照

O ハーフパンツ P.38

[実物大型紙]
C面[O]
1 前パンツ、2 後ろパンツ、3 見返し、4 持ち出し、5 脇ポケット袋布、6 向う布、7 ポケット口見返し

[でき上がりサイズ]（左からS/M/L/LL/3L）
ウエスト　76/80/84/88/92cm
総脇丈　53.5/55/56.5/58/59.5cm

[材料]
ツイル　110cm幅×150/155/160/165/170cm、スレキ　80×35cm、接着芯　40×90/95/100/105/110cm、ファスナー　14/15/15/16/16cm 1本、直径1.5cmのボタン　2個

裁ち方図

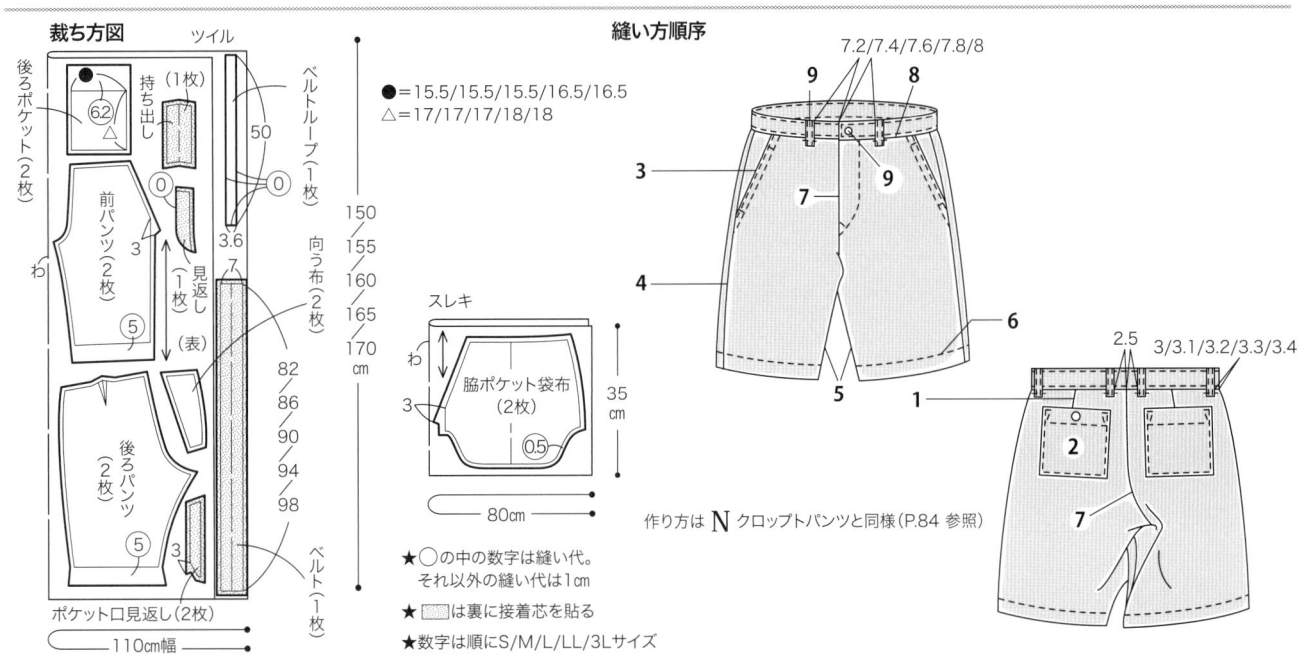

ツイル
- 後ろポケット（2枚）
- 持ち出し（1枚）
- 前パンツ（2枚）
- 見返し（1枚）
- 後ろパンツ（2枚）
- ポケット口見返し（2枚）
- ベルトループ（1枚）
- 向う布（2枚）
- ベルト（1枚）
- 50、3.6
- 82/86/90/94/98
- 150/155/160/165/170cm
- 110cm幅

スレキ
脇ポケット袋布（2枚）
80cm　35cm

●=15.5/15.5/15.5/16.5/16.5
△=17/17/17/18/18

★○の中の数字は縫い代。それ以外の縫い代は1cm
★▨は裏に接着芯を貼る
★数字は順にS/M/L/LL/3Lサイズ

縫い方順序

7.2/7.4/7.6/7.8/8
2.5　3/3.1/3.2/3.3/3.4

作り方は N クロップトパンツと同様（P.84参照）

73

G VネックTシャツ P.23

[実物大型紙]

D面[G]

1 前身頃、2 後ろ身頃、3 袖、4 衿ぐり布、5 ポケット

※前身頃の型紙は途中でつなげる

[でき上がりサイズ]（左からS/M/L/LL/3L）

着丈 64/66/68/70/72cm

胸まわり 98/102/108/114/120cm

裄丈 78.5/80.5/82.5/84.5/86.5cm

[材料]

60/2 天竺ニット（Top Yarn Cloth） 165cm幅×140/140/145/145/150cm

1cm幅の伸び止めテープ 37cm

接着芯 5×15cm

裁ち方図

60/2天竺ニット(Top Yarn Cloth)

袖(2枚) ③

衿ぐりパイピング布(1枚) 23/23.6/24.3/25/25.7 0.7 1.6 0.7

衿ぐり布(1枚)

伸び止めテープ

前身頃(1枚) △をつなげる

ポケット(1枚) ③

後ろ身頃(1枚) ③

伸び止めテープ

140/140/145/145/150cm

165cm幅

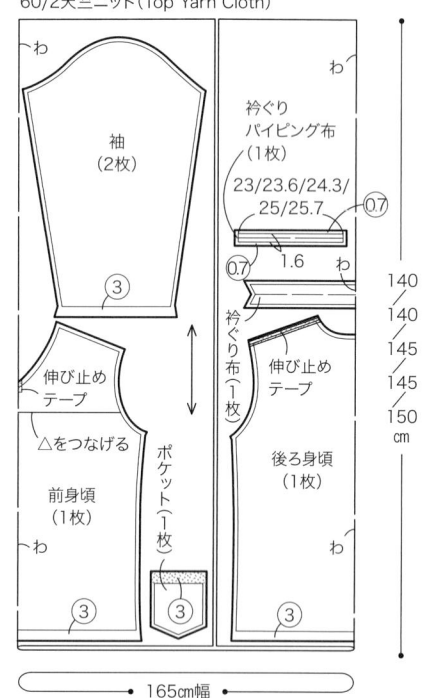

★○の中の数字は縫い代。それ以外の縫い代は1cm

★▨は裏に接着芯または伸び止めテープを貼る

★数字は順にS/M/L/LL/3Lサイズ

縫い方順序

準備 後ろ身頃の肩に伸び止めテープを、ポケット口に接着芯を貼る。（裁ち方図参照）アイロンで袖口と裾の縫い代を折り、衿ぐりパイピング布を二つ折りにする。

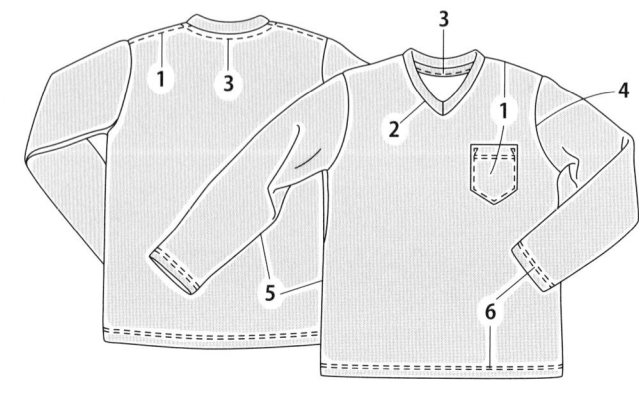

3～6の作り方はP.30参照

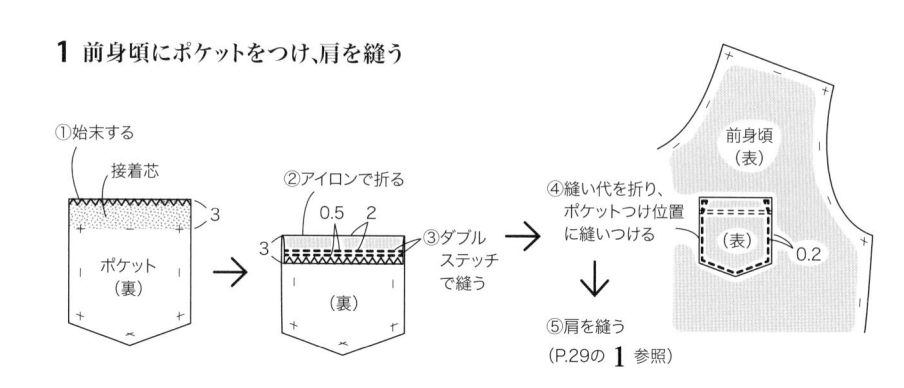

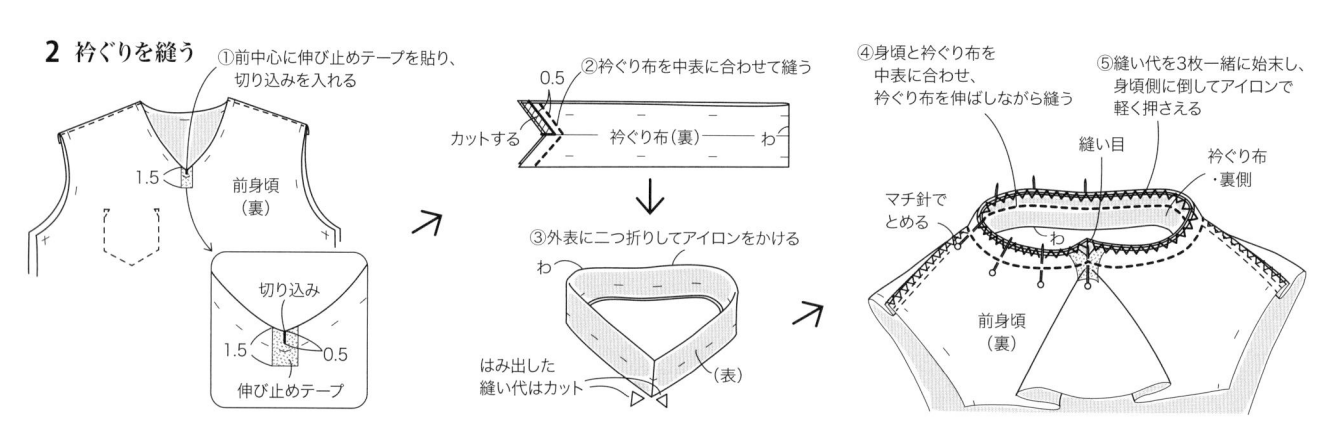

1 前身頃にポケットをつけ、肩を縫う

①始末する
接着芯
②アイロンで折る
0.5 2
3
③ダブルステッチで縫う
ポケット(裏)

④縫い代を折り、ポケットつけ位置に縫いつける
前身頃(表)
ポケット(表)
0.2
⑤肩を縫う
(P.29の1参照)

2 衿ぐりを縫う

①前中心に伸び止めテープを貼り、切り込みを入れる
1.5
前身頃(裏)
切り込み
1.5 0.5
伸び止めテープ

②衿ぐり布を中表に合わせて縫う
0.5
カットする
衿ぐり布(裏) わ

③外表に二つ折りしてアイロンをかける
わ
(表)
はみ出した縫い代はカット

④身頃と衿ぐり布を中表に合わせ、衿ぐり布を伸ばしながら縫う

⑤縫い代を3枚一緒に始末し、身頃側に倒してアイロンで軽く押さえる

マチ針でとめる
縫い目
衿ぐり布・裏側
わ
前身頃(裏)

H ラグランTシャツ P.24

[実物大型紙]

D面[H]

1 前身頃、2 後ろ身頃、3 袖

[でき上がりサイズ]（左からS/M/L/LL/3L）

着丈　64/66/68/70/72cm

胸まわり　98/102/108/114/120cm

裄丈　44/45.5/47/48.5/50cm

[材料]

綿スムースニット（オフホワイト）170cm幅×75/75/80/80/85cm

綿スムースニット（ダークグリーン）170cm幅×50/50/50/55/55cm

綿30スパンフライス（ダークグリーン）50cm幅×10cm

1.2cm幅の伸び止めテープ　140cm

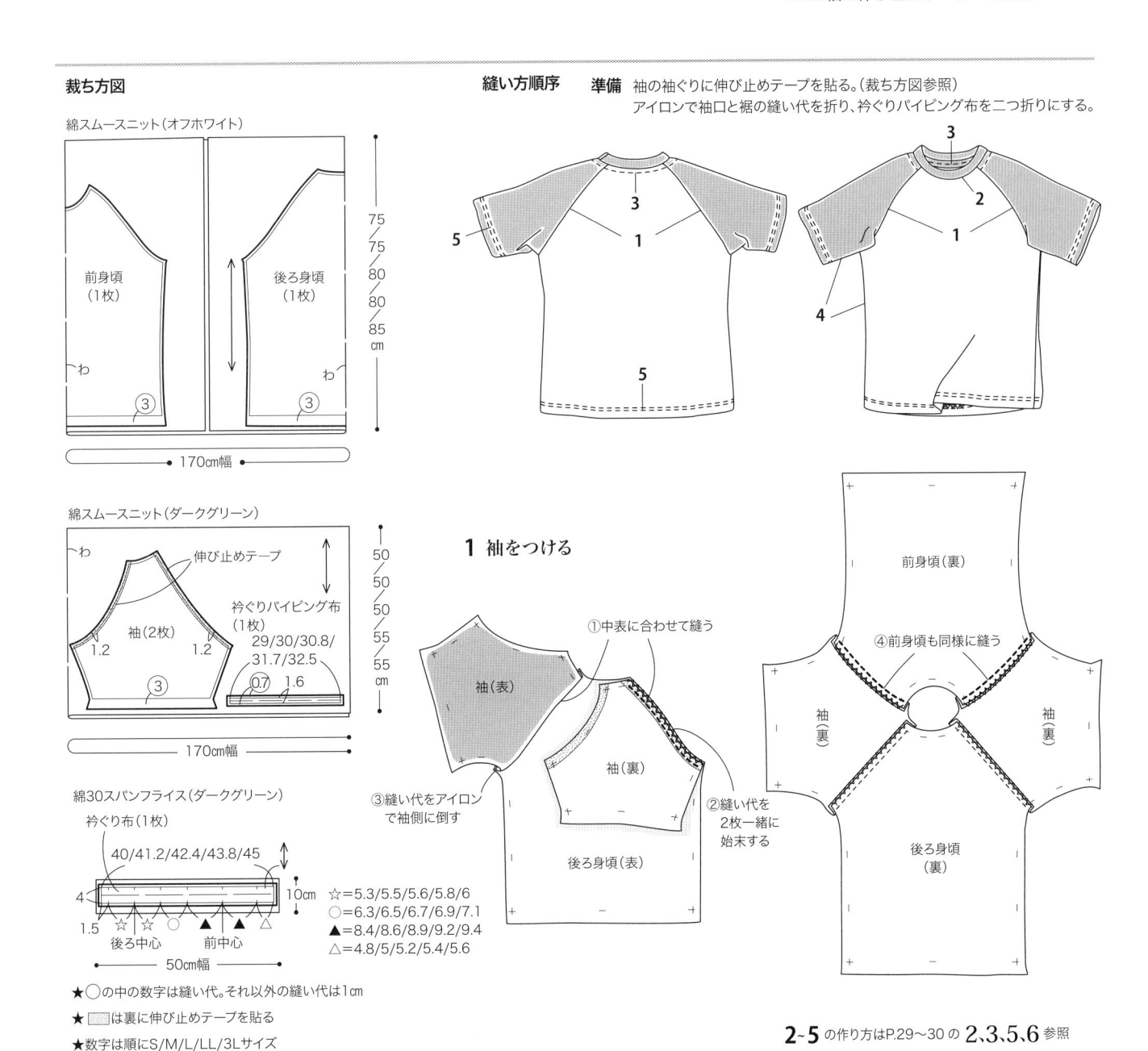

裁ち方図

綿スムースニット（オフホワイト）

前身頃（1枚）、後ろ身頃（1枚）　75/75/80/80/85cm

170cm幅

綿スムースニット（ダークグリーン）

伸び止めテープ　袖（2枚）1.2　1.2

衿ぐりパイピング布（1枚）29/30/30.8/31.7/32.5　0.7　1.6

50/50/50/55/55cm

170cm幅

綿30スパンフライス（ダークグリーン）

衿ぐり布（1枚）40/41.2/42.4/43.8/45

10cm

1.5　☆　☆　○　▲　▲　△

後ろ中心　前中心

50cm幅

☆=5.3/5.5/5.6/5.8/6
○=6.3/6.5/6.7/6.9/7.1
▲=8.4/8.6/8.9/9.2/9.4
△=4.8/5/5.2/5.4/5.6

★○の中の数字は縫い代。それ以外の縫い代は1cm
★▨は裏に伸び止めテープを貼る
★数字は順にS/M/L/LL/3Lサイズ

縫い方順序

準備　袖の袖ぐりに伸び止めテープを貼る。（裁ち方図参照）

アイロンで袖口と裾の縫い代を折り、衿ぐりパイピング布を二つ折りにする。

1 袖をつける

①中表に合わせて縫う

③縫い代をアイロンで袖側に倒す

②縫い代を2枚一緒に始末する

④前身頃も同様に縫う

2~5の作り方はP.29~30の 2、3、5、6参照

I　ポロシャツ P.25

[実物大型紙]
C面［I］
1 前身頃、2 後ろ身頃、3 袖、4 衿、5 前立て・持ち出し

[でき上がりサイズ]（左からS/M/L/LL/3L）
着丈　62/64/66/68/70cm
胸まわり　98/102/108/114/120cm
裄丈　42/43.5/45/46.5/48cm

[材料]
マルチボーダー天竺　165cm幅×100/105/105/110/115cm
綿スムースニット（オフホワイト）　55×30cm
接着芯　70×20cm
1cm幅の伸び止めテープ　40cm
直径1.15cmのボタン　2個

裁ち方図

マルチボーダー天竺

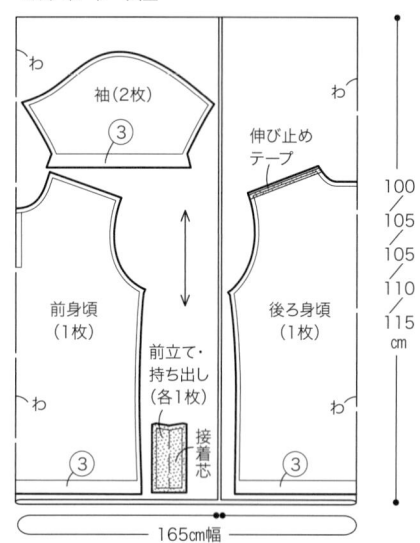

綿スムースニット（オフホワイト）

縫い方順序

前立てと持ち出しの位置
右前身頃　左前身頃
持ち出し　前立て

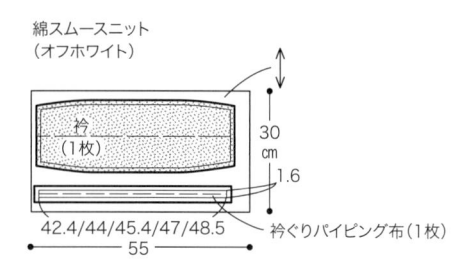

★○の中の数字は縫い代。それ以外の縫い代は1cm
★▨は裏に接着芯、または伸び止めテープを貼る
★数字は順にS/M/L/LL/3Lサイズ
★柄合わせは、前の合印を基準に合わせる(P.6参照)

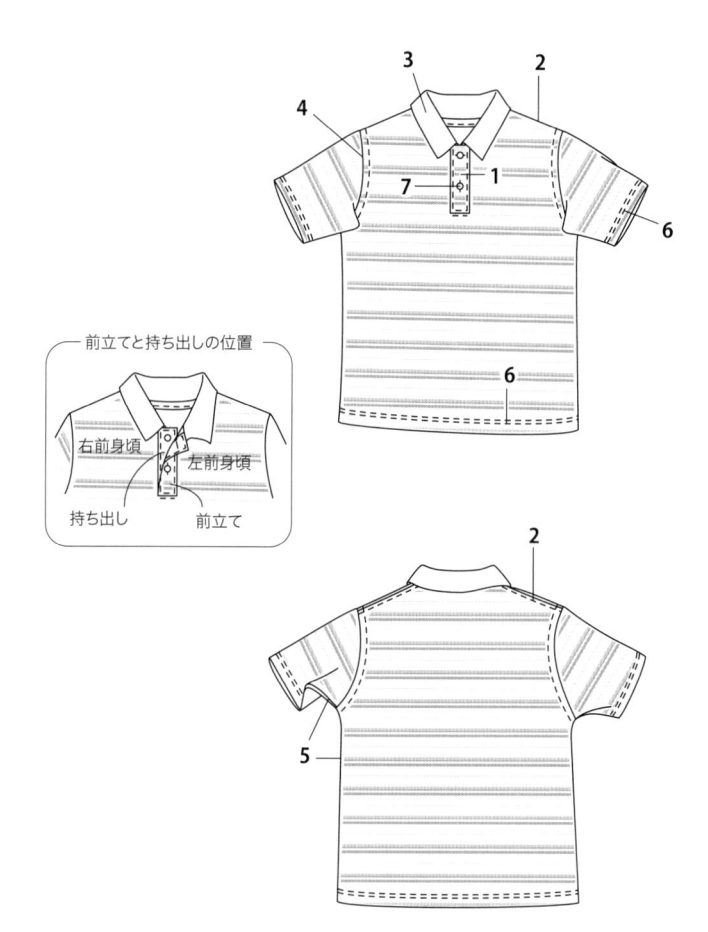

準備　後ろ身頃の肩に伸び止めテープ、衿、前立て・持ち出しに接着芯を貼る。(裁ち方図参照)
アイロンで袖口と裾の縫い代を折り、衿ぐりパイピング布を二つ折りにする。

1 前立てを作る

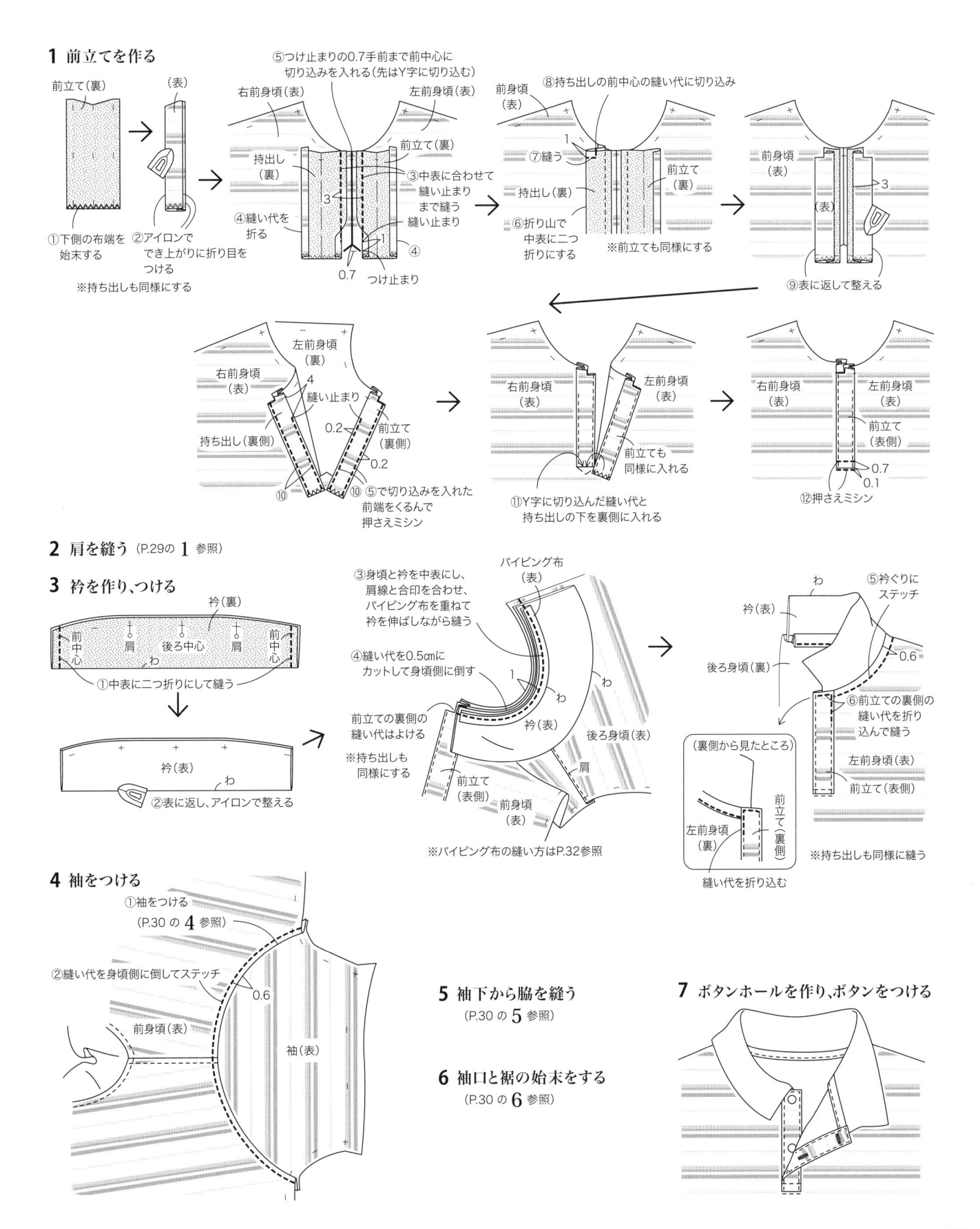

- ①下側の布端を始末する
- ②アイロンででき上がりに折り目をつける
- ※持ち出しも同様にする
- ③中表に合わせて縫い止まりまで縫う
- ④縫い代を折る
- ⑤つけ止まりの0.7手前まで前中心に切り込みを入れる（先はY字に切り込む）
- ⑥折り山で中表に二つ折りにする
- ⑦縫う
- ⑧持ち出しの前中心の縫い代に切り込み
- ※前立ても同様にする
- ⑨表に返して整える
- ⑩⑤で切り込みを入れた前端をくるんで押さえミシン
- ⑪Y字に切り込んだ縫い代と持ち出しの下を裏側に入れる
- ⑫押さえミシン

ラベル: 前立て(裏)、前立て(表)、右前身頃(表)、左前身頃(表)、持出し(裏)、前身頃(表)、前身頃(裏)、持ち出し(裏側)、前立て(裏側)、前立て(表側)、縫い止まり、つけ止まり

2 肩を縫う（P.29の 1 参照）

3 衿を作り、つける

- ①中表に二つ折りにして縫う
- ②表に返し、アイロンで整える
- ③身頃と衿を中表にし、肩線と合印を合わせ、パイピング布を重ねて衿を伸ばしながら縫う
- ④縫い代を0.5cmにカットして身頃側に倒す
- ⑤衿ぐりにステッチ
- ⑥前立ての裏側の縫い代を折り込んで縫う

前立ての裏側の縫い代はよける
※持ち出しも同様にする
※パイピング布の縫い方はP.32参照
※持ち出しも同様に縫う

ラベル: 衿(裏)、衿(表)、前中心、肩、後ろ中心、わ、パイピング布(表)、後ろ身頃(表)、後ろ身頃(裏)、前身頃(表側)、前立て(表側)、左前身頃(裏)、前立て(裏)、縫い代を折り込む

4 袖をつける

- ①袖をつける（P.30の 4 参照）
- ②縫い代を身頃側に倒してステッチ

5 袖下から脇を縫う
（P.30の 5 参照）

6 袖口と裾の始末をする
（P.30の 6 参照）

7 ボタンホールを作り、ボタンをつける

77

K パーカ P.27

[実物大型紙]

B面[K]
1 前身頃、2 後ろ身頃、3 袖、4 フード、5 ポケット、
6 ポケット口パイピング布

[でき上がりサイズ]（左からS/M/L/LL/3L）

着丈　63/65/67/69/71cm
胸まわり　102/106/112/118/124cm
裄丈　80/82/84/86/88cm

[材料]

粗挽きMIX裏毛（グレー杢）　155cm幅×175/180/185/185/200cm
粗挽きMIXリブ（グレー杢）　84cm幅×50cm
スムースニット　60×5cm
1cm幅の伸び止めテープ　40cm
1.7cm幅の伸び止めテープ　130cm　※または接着芯 3.5×65cm
1.1cm幅のコットンコード　100cm
ビスロンファスナー　55/57/59/61/63cm　1本

裁ち方図

粗挽きMIX裏毛（グレー杢）

- 袖(2枚)
- ポケット(2枚) ①.7
- 表フード(1枚) ⓪
- 裏フード(1枚)
- 袖 ※左右対称になるように裁つ
- 表フード折り返し分
- 前身頃(2枚) ①.7 伸び止めテープ
- 後ろ身頃(1枚)
- 伸び止めテープ

175/180/185/185/200cm

155cm幅

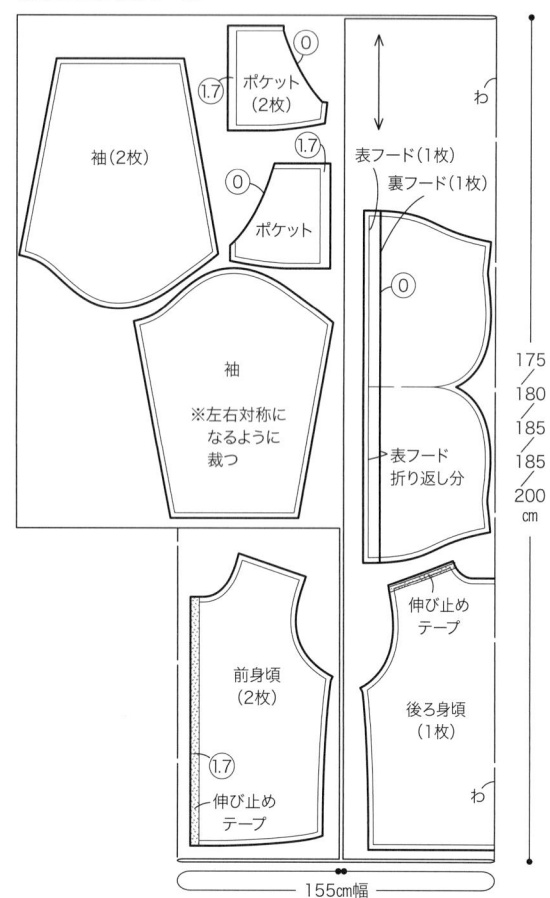

★○の中の数字は縫い代。それ以外の縫い代は1cm
★░は裏に伸び止めテープを貼る
★数字は順にS/M/L/LL/3Lサイズ
★袖とポケットは、左右対称になるように裁つ

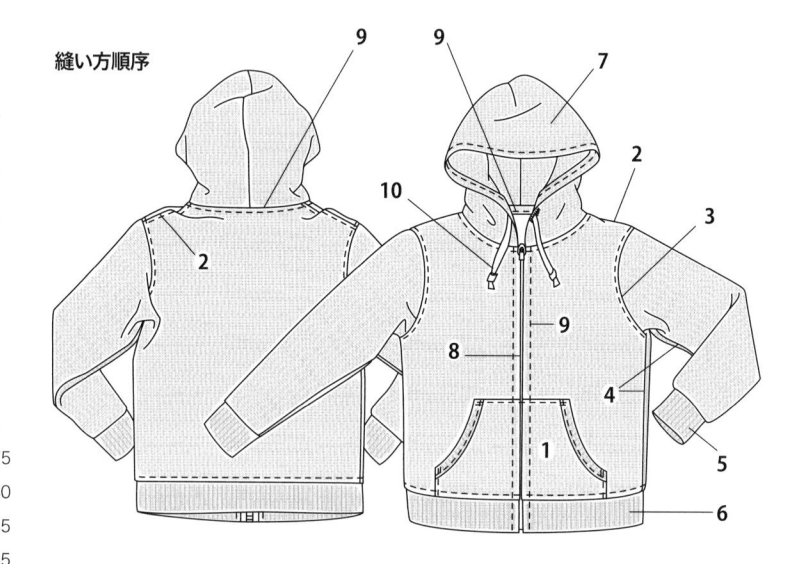

縫い方順序

準備　前端と後ろ身頃の肩に伸び止めテープを貼る。（裁ち方図参照）

スムースニット
衿ぐりパイピング布(1枚)　0.7
49.2/50.7/52.2/53.8/55.3
60　5cm

粗挽きMIXリブ（グレー杢）

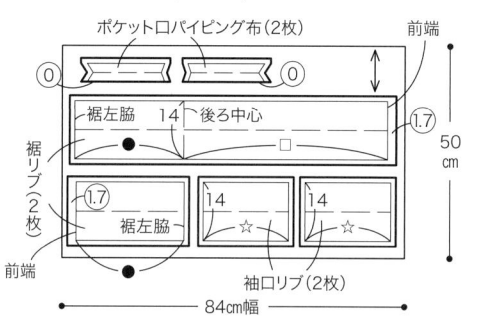

ポケット口パイピング布(2枚)　前端
裾左脇　14　後ろ中心　①.7
裾リブ(2枚)　①.7
裾左脇　14　14
袖口リブ(2枚)
前端
84cm幅　50cm

●＝21.2/22/23.2/24.6/25.8
□＝42.4/44/46.4/49.2/51.6
☆＝18.2/19/19.7/20.5/21.2

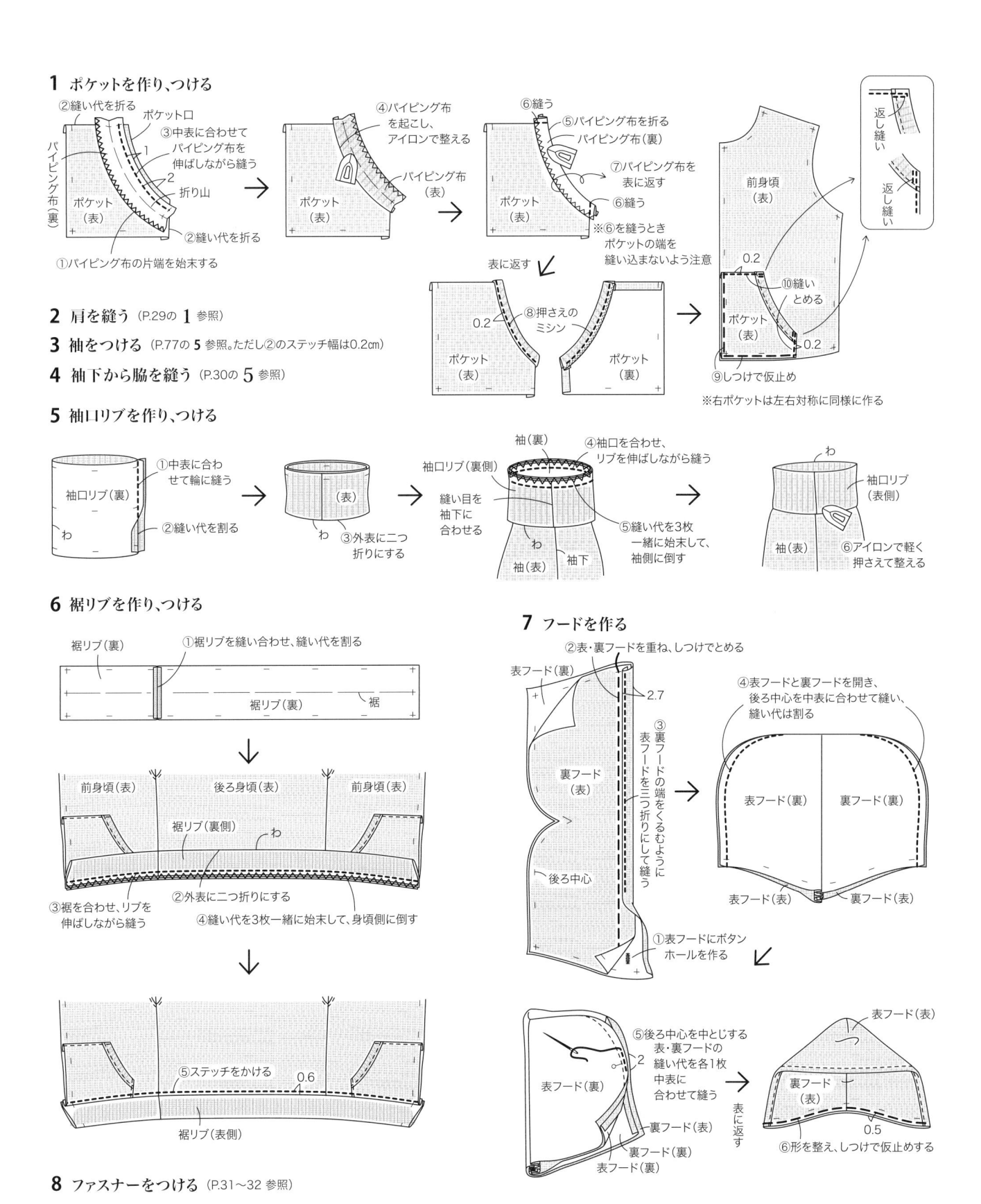

1 ポケットを作り、つける

①パイピング布の片端を始末する
②縫い代を折る
ポケット口
③中表に合わせてパイピング布を伸ばしながら縫う
折り山
パイピング布（裏）
ポケット（表）

④パイピング布を起こし、アイロンで整える
パイピング布（表）
ポケット（表）

⑥縫う
⑤パイピング布を折る
パイピング布（裏）
⑦パイピング布を表に返す
ポケット（表）
※⑥を縫うときポケットの端を縫い込まないよう注意

表に返す
⑧押さえのミシン
0.2
ポケット（表）
ポケット（裏）

前身頃（表）
返し縫い
返し縫い
0.2
⑩縫いとめる
ポケット（表）
0.2
⑨しつけで仮止め
※右ポケットは左右対称に同様に作る

2 肩を縫う（P.29の 1 参照）
3 袖をつける（P.77の 5 参照。ただし②のステッチ幅は0.2㎝）
4 袖下から脇を縫う（P.30の 5 参照）

5 袖口リブを作り、つける

袖口リブ（裏）
わ
①中表に合わせて輪に縫う
②縫い代を割る

（表）
わ
③外表に二つ折りにする

袖（裏）
袖口リブ（裏側）
④袖口を合わせ、リブを伸ばしながら縫う
縫い目を袖下に合わせる
わ
袖（表）
袖下
⑤縫い代を3枚一緒に始末して、袖側に倒す

わ
袖口リブ（表側）
袖（表）
⑥アイロンで軽く押さえて整える

6 裾リブを作り、つける

裾リブ（裏）
①裾リブを縫い合わせ、縫い代を割る
裾リブ（裏）
裾

前身頃（表）　後ろ身頃（表）　前身頃（表）
裾リブ（裏側）
わ
③裾を合わせ、リブを伸ばしながら縫う
②外表に二つ折りにする
④縫い代を3枚一緒に始末して、身頃側に倒す

⑤ステッチをかける
0.6
裾リブ（表側）

7 フードを作る

表フード（裏）
2.7
裏フード（表）
③裏フードの端をくるむように表フードを三つ折りにして縫う
②表・裏フードを重ね、しつけでとめる
後ろ中心
①表フードにボタンホールを作る

④表フードと裏フードを開き、後ろ中心を中表に合わせて縫い、縫い代は割る
表フード（裏）　裏フード（裏）
表フード（表）　裏フード（表）

表フード（裏）
裏フード（表）
裏フード（裏）
表フード（裏）
⑤後ろ中心を中とじする
表・裏フードの縫い代を各1枚中表に合わせて縫う
表に返す

表フード（表）
裏フード（表）
0.5
⑥形を整え、しつけで仮止めする

8 ファスナーをつける（P.31～32 参照）

9 フードをつけ、前端にステッチをかける（P.31～32 参照）

10 ひもを通し、端をひと結びする

J トレーナー P.26

[実物大型紙]

B面 [J]

1 前身頃、2 後ろ身頃、3 袖

[でき上がりサイズ]（左から S/M/L/LL/3L）

着丈　63/65/67/69/71cm
胸回り　102/106/112/118/124cm
裄丈　80/82/84/86/88cm

[材料]

綿コーマ糸厚手スエット地　180cm幅×130/130/135/140/140cm
綿20スパン・リブ　100cm幅×40/40/40/60/60cm
1cm幅の伸び止めテープ　40cm
好みのアップリケ　適宜

裁ち方図

綿コーマ糸厚手スエット地

袖(2枚)
前身頃(1枚)
後ろ身頃(1枚)
伸び止めテープ

130/130/135/140/140 cm
180cm幅

綿20スパン・リブ

18.2/19/19.7/20.5/21.2
14
袖口リブ(2枚)
38.8/40/41.2/42.4/43.6
4.6
衿リブ(1枚)
14　裾リブ(S〜L1枚・LL〜3L2枚)
※LL/3Lサイズは両脇を接ぎ合わせる

40/40/40/60/60 cm
84.6/88/93.1/49.1×2/51.7×2
100cm幅

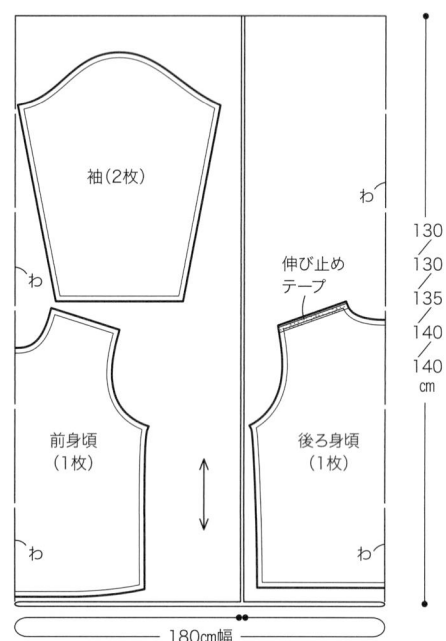

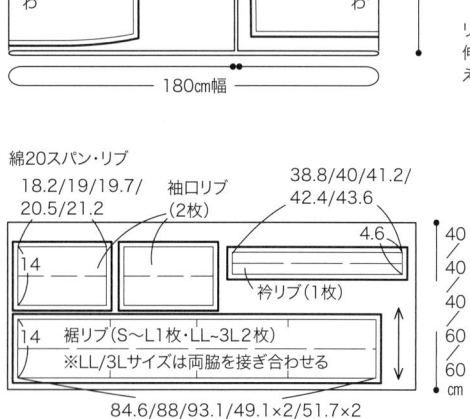

★ ○の中の数字は縫い代。それ以外の縫い代は1cm
★ ▨は裏に伸び止めテープを貼る
★ 数字は順にS/M/L/LL/3Lサイズ
★ 裾リブはLL・3Lサイズは2枚裁ち、両脇を接ぎ合わせる

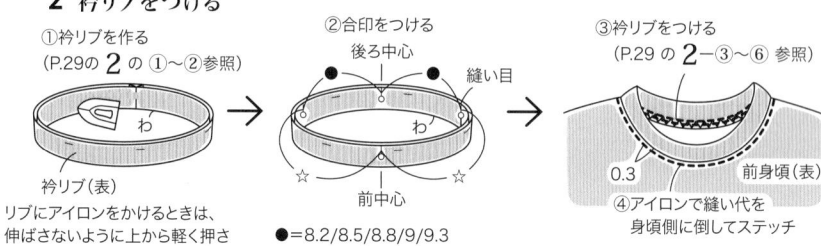

縫い方順序

準備　後ろ身頃の肩に伸び止めテープを貼る。（裁ち方図参照）

好みでアップリケをつける

1 肩を縫う (P.29の 1 参照)

2 衿リブをつける

①衿リブを作る (P.29の 2 の①〜②参照)
リブにアイロンをかけるときは、伸ばさないように上から軽く押さえるようにして形を整える

②合印をつける
後ろ中心
縫い目
前中心
● =8.2/8.5/8.8/9/9.3
☆ =11.2/11.5/11.8/12.2/12.5

③衿リブをつける (P.29の 2−③〜⑥参照)
0.3
前身頃(表)
④アイロンで縫い代を身頃側に倒してステッチ

3 袖をつける (P.30の 4 参照)

4 袖下から脇を縫う (P.30の 5 参照)

5 袖口リブを作ってつける (P.79の 5 参照)

6 裾リブをつける

①裾リブを作る (P.79の 5−①〜③参照)（LLと3LはP.79の 6−①参照）

前身頃(表)
わ
左脇に合わせる
裾リブ(裏側)
リブ縫い目

②裾リブと身頃を中表に合わせ、リブを伸ばしながら縫う
③縫い代を3枚一緒に始末して、身頃側に倒す

前身頃(表)
④ステッチ
0.6
裾リブ(表側)

L チノパン P.34　　M ストレッチチノパン P.36

[実物大型紙]

＜Lチノパン＞C面［L］、＜Mストレッチチノパン＞C面［M］

1 前パンツ、2 後ろパンツ、3 見返し、4 持ち出し、5 脇ポケット袋布、6 向う布、7 ポケット口見返し、8 袋布、9 後ろポケット口布、10 後ろポケット玉縁布、11 後ろポケット向う布

※Lの後ろパンツの型紙は途中でつなげる

[でき上がりサイズ]（左からS/M/L/LL/3L）

＜Lチノパン＞
ウエスト　76/80/84/88/92cm　　総脇丈　99.5/102/104.5/107/109.5cm

＜Mストレッチチノパン＞
ウエスト　78/82/86/90/94cm　　総脇丈　97.5/100/102.5/105/107.5cm

[材料]

＜Lチノパン＞
チノクロス　110cm幅 ×220/225/230/235/240cm
ファスナー　14/15/15/16/16cm　1本

＜Mストレッチチノパン＞
ストレッチチノクロス　130cm幅 ×210/215/220/225/230cm
ファスナー　12/13/13/14/14cm　1本

＜L・M共通＞
スレキ　120cm幅 ×60cm
接着芯　40×90/95/100/105/110cm
直径1.5cmのボタン　2個

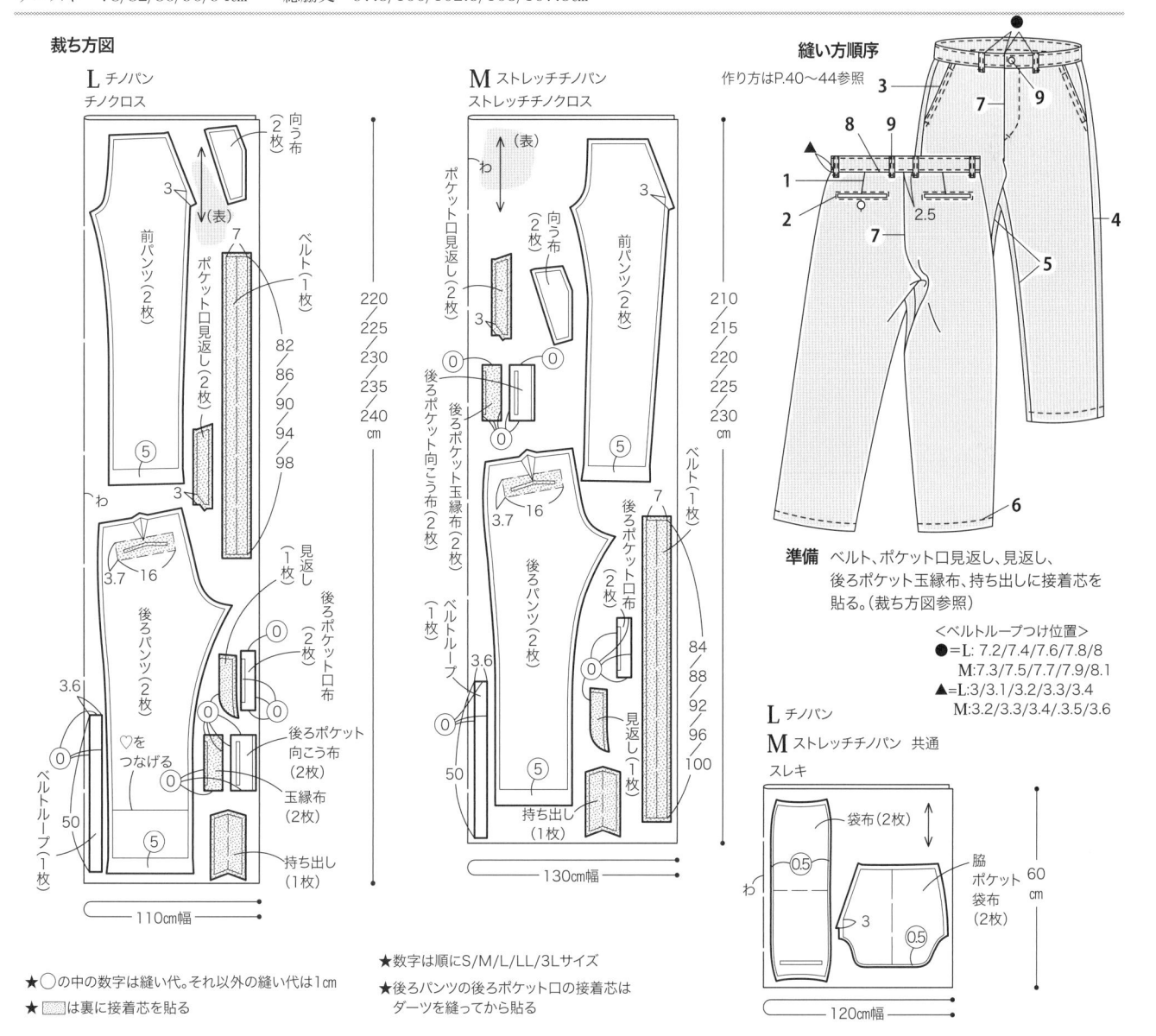

裁ち方図

縫い方順序

作り方はP.40〜44参照

準備　ベルト、ポケット口見返し、見返し、後ろポケット玉縁布、持ち出しに接着芯を貼る。（裁ち方図参照）

＜ベルトループつけ位置＞
● = L: 7.2/7.4/7.6/7.8/8
　　M: 7.3/7.5/7.7/7.9/8.1
▲ = L: 3/3.1/3.2/3.3/3.4
　　M: 3.2/3.3/3.4/3.5/3.6

Lチノパン
Mストレッチチノパン　共通
スレキ

★ ○の中の数字は縫い代。それ以外の縫い代は1cm
★ ▨は裏に接着芯を貼る
★ 数字は順にS/M/L/LL/3Lサイズ
★ 後ろパンツの後ろポケット口の接着芯はダーツを縫ってから貼る

P カーゴパンツ P.39

[実物大型紙]

C面[P]
1 前パンツ、2 後ろパンツ、3 見返し、4 持ち出し、5 脇ポケット袋布、6 向う布、7 ポケット口見返し、8 下脇ポケット、9 フラップ
※後ろパンツの型紙は途中でつなげる

[でき上がりサイズ]（左からS/M/L/LL/3L）

ウエスト　76/80/84/88/92cm
総脇丈　100/102.5/105/107.5/110cm

[材料]

綿オックス（迷彩柄）　110cm幅×250/255/260/265/270cm
スレキ　80×35cm
接着芯　40×100/105/105/110/110cm
ファスナー　14/15/15/16/16cm　1本
直径1.5cmのボタン　8個
直径1.8cmのボタン　1個

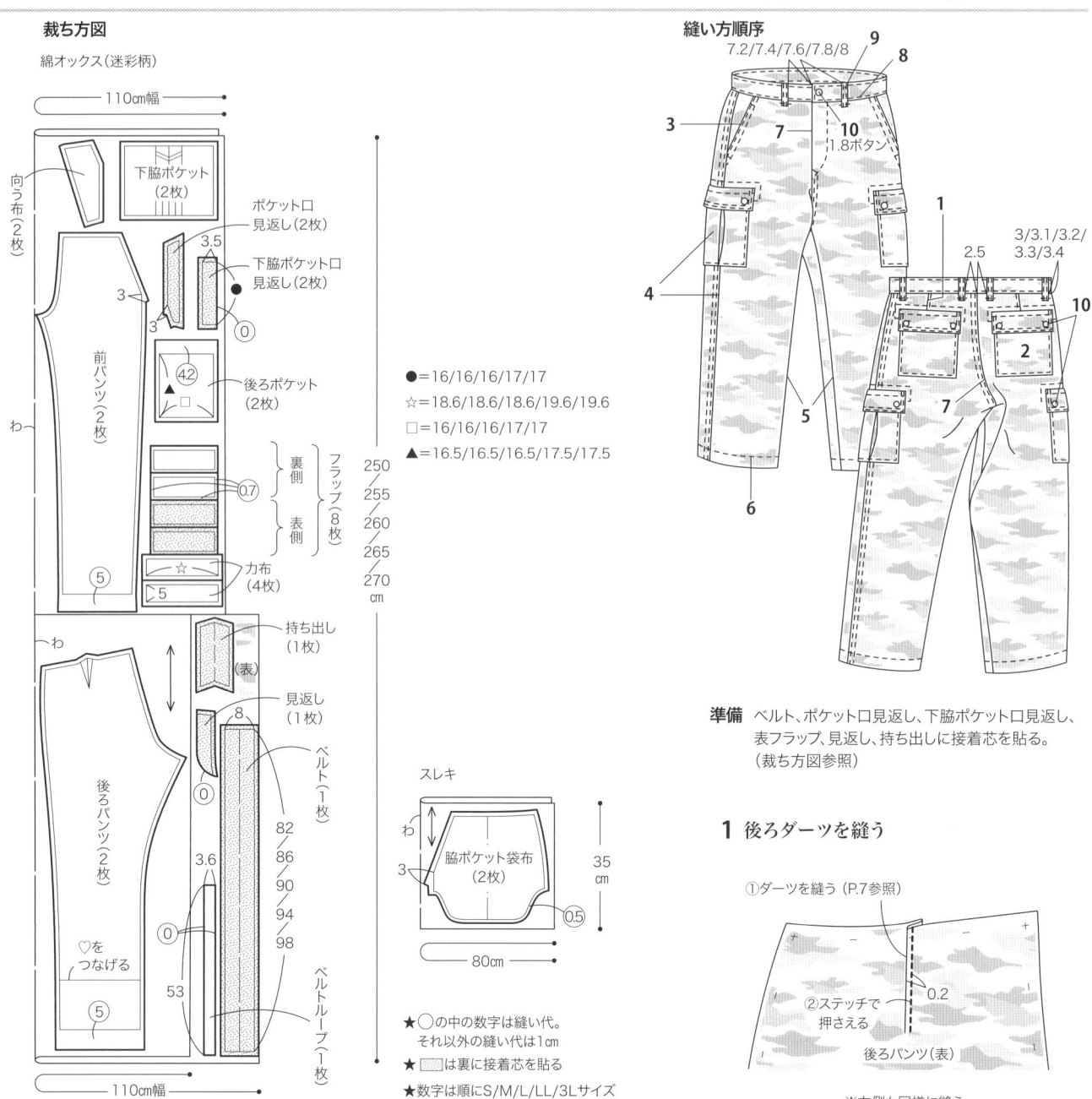

裁ち方図

綿オックス（迷彩柄）

● = 16/16/16/17/17
☆ = 18.6/18.6/18.6/19.6/19.6
□ = 16/16/16/17/17
▲ = 16.5/16.5/16.5/17.5/17.5

★○の中の数字は縫い代。それ以外の縫い代は1cm
★ ▨は裏に接着芯を貼る
★数字は順にS/M/L/LL/3Lサイズ

縫い方順序

7.2/7.4/7.6/7.8/8
3/3.1/3.2/3.3/3.4

準備　ベルト、ポケット口見返し、下脇ポケット口見返し、表フラップ、見返し、持ち出しに接着芯を貼る。（裁ち方図参照）

1 後ろダーツを縫う

①ダーツを縫う（P.7参照）
②ステッチで押さえる
0.2
後ろパンツ（表）

※右側も同様に縫う

2 後ろポケットを作り、つける

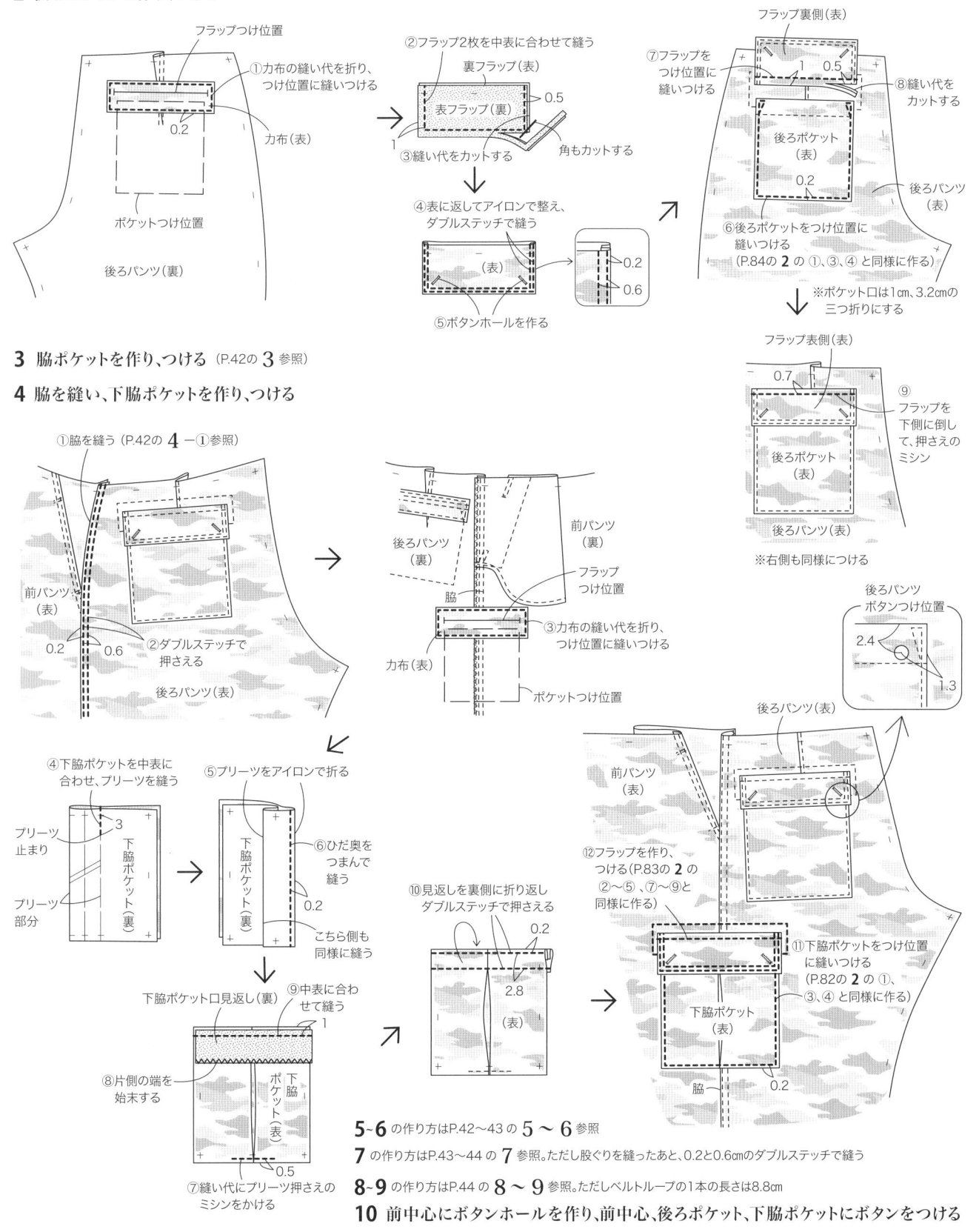

①力布の縫い代を折り、つけ位置に縫いつける
フラップつけ位置
ポケットつけ位置
後ろパンツ(裏)
力布(表)
0.2

②フラップ2枚を中表に合わせて縫う
裏フラップ(表)
表フラップ(裏)
0.5
1
③縫い代をカットする
角もカットする

④表に返してアイロンで整え、ダブルステッチで縫う
0.2
0.6
⑤ボタンホールを作る
(表)

⑦フラップをつけ位置に縫いつける
フラップ裏側(表)
1 0.5
⑧縫い代をカットする
後ろポケット(表)
0.2
後ろパンツ(表)
⑥後ろポケットをつけ位置に縫いつける(P.84の**2**の①、③、④と同様に作る)
※ポケット口は1cm、3.2cmの三つ折りにする

フラップ表側(表)
0.7
⑨フラップを下側に倒して、押さえのミシン
後ろポケット(表)
後ろパンツ(表)
※右側も同様につける

3 脇ポケットを作り、つける (P.42の**3**参照)

4 脇を縫い、下脇ポケットを作り、つける

①脇を縫う(P.42の**4**-①参照)
前パンツ(表)
0.2 0.6
②ダブルステッチで押さえる
後ろパンツ(表)

後ろパンツ(裏)
前パンツ(裏)
脇
フラップつけ位置
③力布の縫い代を折り、つけ位置に縫いつける
力布(表)
ポケットつけ位置

④下脇ポケットを中表に合わせ、プリーツを縫う
プリーツ止まり
プリーツ部分
下脇ポケット(裏)
3

⑤プリーツをアイロンで折る
下脇ポケット(裏)
⑥ひだ奥をつまんで縫う
0.2
こちら側も同様に縫う

下脇ポケット口見返し(裏)
⑨中表に合わせて縫う
1
⑧片側の端を始末する
下脇ポケット(表)
0.5
⑦縫い代にプリーツ押さえのミシンをかける

⑩見返しを裏側に折り返しダブルステッチで押さえる
0.2
2.8
(表)

後ろパンツ ボタンつけ位置
2.4
1.3

前パンツ(表)
後ろパンツ(表)
⑫フラップを作り、つける(P.83の**2**の②〜⑤、⑦〜⑨と同様に作る)
⑪下脇ポケットをつけ位置に縫いつける(P.82の**2**の①、③、④と同様に作る)
下脇ポケット(表)
0.2
脇

5〜6 の作り方はP.42〜43の**5**〜**6**参照

7 の作り方はP.43〜44の**7**参照。ただし股ぐりを縫ったあと、0.2と0.6cmのダブルステッチで縫う

8〜9 の作り方はP.44の**8**〜**9**参照。ただしベルトループの1本の長さは8.8cm

10 前中心にボタンホールを作り、前中心、後ろポケット、下脇ポケットにボタンをつける

83

N クロップトパンツ P.37

[実物大型紙]
C面 [N]
1 前パンツ、2 後ろパンツ、3 見返し、4 持ち出し、5 脇ポケット袋布、6 向う布、7 ポケット口見返し

[でき上がりサイズ]（左からS/M/L/LL/3L）
ウエスト 76/80/84/88/92cm
総脇丈 85.5/88/90.5/93/95.5cm

[材料]
ツイル 110cm幅×190/195/200/205/210cm
スレキ 80×35cm
接着芯 40×90/95/100/105/110cm
ファスナー 14/15/15/16/16cm 1本
直径1.5cmボタン 2個

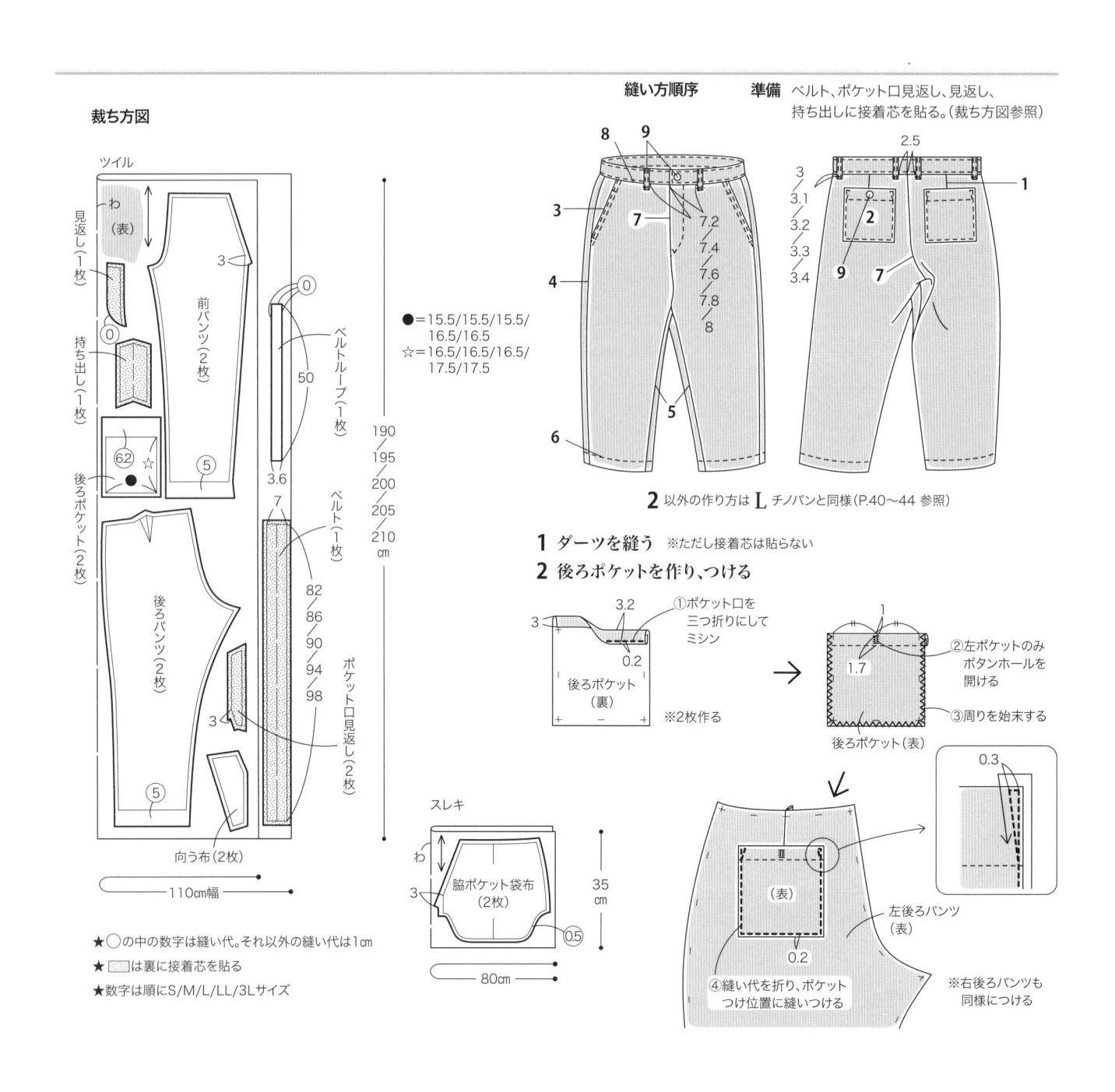

裁ち方図

● = 15.5/15.5/15.5/16.5/16.5
☆ = 16.5/16.5/16.5/17.5/17.5

★ ○の中の数字は縫い代。それ以外の縫い代は1cm
★ ▨は裏に接着芯を貼る
★ 数字は順にS/M/L/LL/3Lサイズ

縫い方順序

準備 ベルト、ポケット口見返し、見返し、持ち出しに接着芯を貼る。（裁ち方図参照）

2以外の作り方は L チノパンと同様（P.40〜44参照）

1 ダーツを縫う ※ただし接着芯は貼らない
2 後ろポケットを作り、つける

①ポケット口を三つ折りにしてミシン
②左ポケットのみボタンホールを開ける
③周りを始末する
④縫い代を折り、ポケットつけ位置に縫いつける

※右後ろパンツも同様につける

R ベスト P.48

[実物大型紙]

A面［R］

1 前身頃・裏前身頃、2 後ろ身頃・裏後ろ身頃、3 前見返し、4 後ろ見返し、5 衿みつ、6 玉縁布、7 向う布・手前布、8 左ベルト、9 右ベルト

[でき上がりサイズ]（左からS/M/L/LL/3L）

着丈　54/55.5/57/58.5/60cm
胸まわり　94/98/102/106/110cm

[材料]

T/Rタータン（片面起毛）　145cm幅×70/70/80/80/80cm
T/Cブロード（ダークグレー）　110cm幅×130/130/140/140/140cm
接着芯　90cm幅×90cm
1.2cm幅の伸び止めテープ　25cm
1cm幅の伸び止めテープ　220cm
直径1.5cmのボタン　5個
2.5cm幅の尾錠　1個（または2.5cm幅のDカン2個）

裁ち方図

縫い方順序

準備　前身頃、前見返し、後ろ見返し、衿みつ、玉縁布に接着芯を、前身頃の前端、肩、袖ぐりに伸び止めテープを貼る。（裁ち方図参照）

注意：袖ぐり、衿ぐり、前端のカーブ部分は縫い合わせたあと縫い代に切り込みを入れますが、作り方の中では省略しています。

1 ダーツを縫う

ダーツを縫い、中心側に倒す

※前身頃、裏前・後ろ身頃も同様に縫う

2 玉縁布を作る

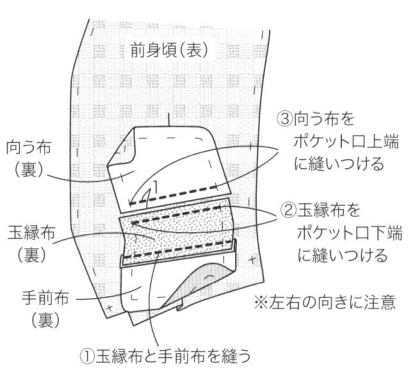

①玉縁布と手前布を縫う
②玉縁布をポケット口下端に縫いつける
③向う布をポケット口上端に縫いつける

※左右の向きに注意

※以降はP.89の1の⑦〜⑮を参照

3 裏前身頃に前見返しをつける

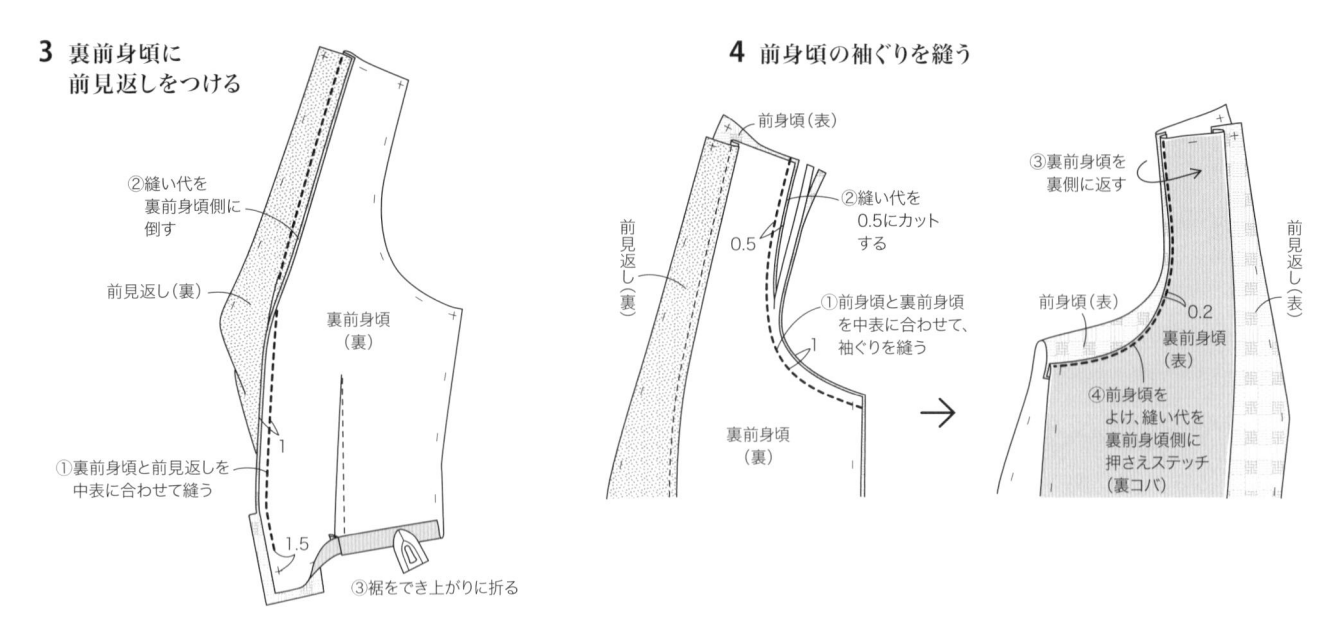

- ②縫い代を裏前身頃側に倒す
- 前見返し(裏)
- 裏前身頃(裏)
- ①裏前身頃と前見返しを中表に合わせて縫う
- ③裾をでき上がりに折る

4 前身頃の袖ぐりを縫う

- 前身頃(表)
- ②縫い代を0.5にカットする
- 前見返し(裏)
- ①前身頃と裏前身頃を中表に合わせて、袖ぐりを縫う
- 裏前身頃(裏)
- ③裏前身頃を裏側に返す
- 前身頃(表)
- 裏前身頃(表)
- 前見返し(表)
- ④前身頃をよけ、縫い代を裏前身頃側に押さえステッチ(裏コバ)

5 前身頃を作る

- 前身頃(表)
- ①前身頃と前見返しを中表に合わせ、前端から裾を縫う
- 前見返し(裏)
- 1折る
- 前身頃(表)

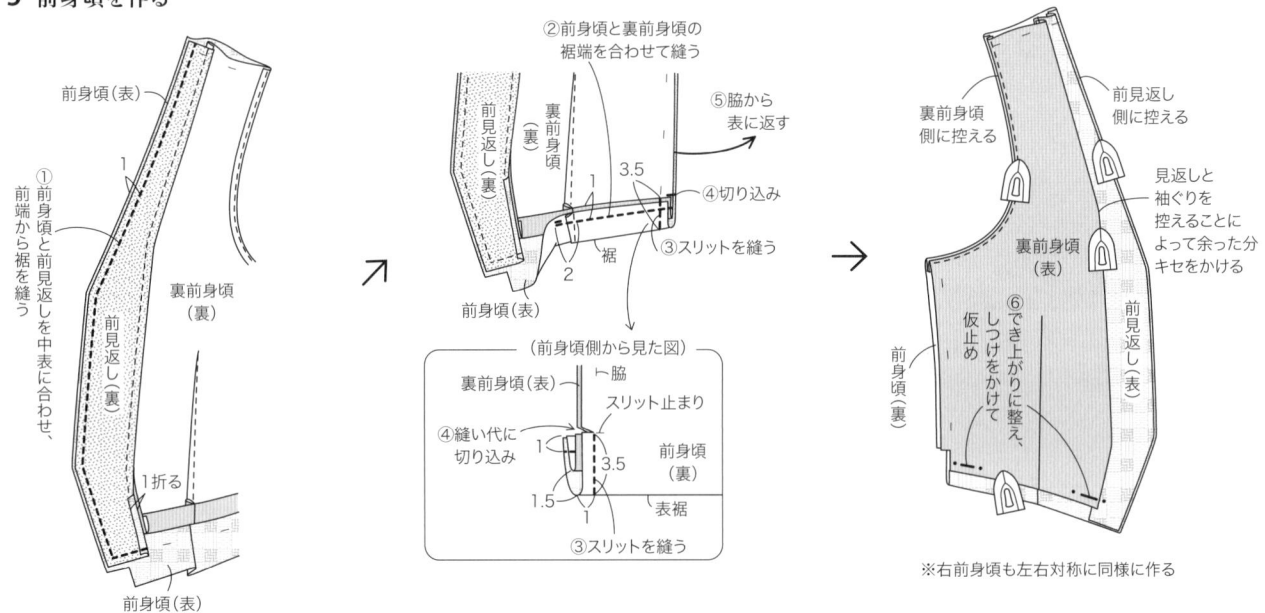

- ②前身頃と裏前身頃の裾端を合わせて縫う
- 前見返し(裏)
- 裏前身頃(裏)
- ⑤脇から表に返す
- ④切り込み
- 裾
- ③スリットを縫う
- 前身頃(表)

(前身頃側から見た図)
- 裏前身頃(表)
- 脇
- スリット止まり
- ④縫い代に切り込み
- 前身頃(裏)
- 表裾
- ③スリットを縫う

- 裏前身頃側に控える
- 前見返し側に控える
- 見返しと袖ぐりを控えることによって余った分キセをかける
- 裏前身頃(表)
- 前見返し(表)
- 前身頃(裏)
- ⑥でき上がりに整え、しつけをかけて仮止め

※右前身頃も左右対称に同様に作る

6 後ろ身頃に衿みつをつける

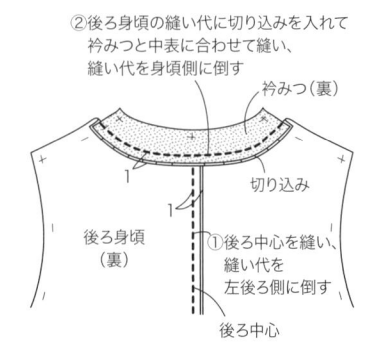

- ②後ろ身頃の縫い代に切り込みを入れて衿みつと中表に合わせて縫い、縫い代を身頃側に倒す
- 衿みつ(裏)
- 切り込み
- 後ろ身頃(裏)
- ①後ろ中心を縫い、縫い代を左後ろ側に倒す
- 後ろ中心

7 裏後ろ身頃に後ろ見返しをつける

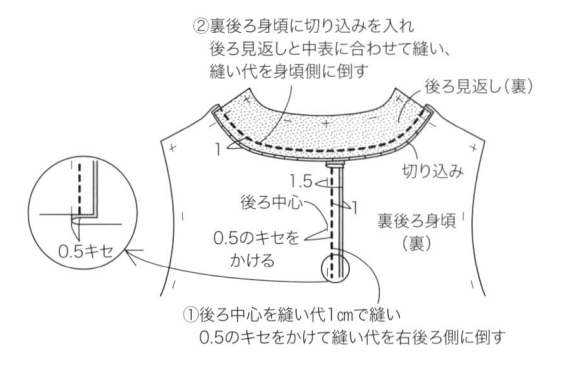

- ②裏後ろ身頃に切り込みを入れ後ろ見返しと中表に合わせて縫い、縫い代を身頃側に倒す
- 後ろ見返し(裏)
- 切り込み
- 0.5キセ
- 後ろ中心
- 0.5のキセをかける
- 裏後ろ身頃(裏)
- ①後ろ中心を縫い代1cmで縫い0.5のキセをかけて縫い代を右後ろ側に倒す

8 後ろ身頃の袖ぐりを縫う (P.86の4参照)

9 後ろベルトを作り、つける

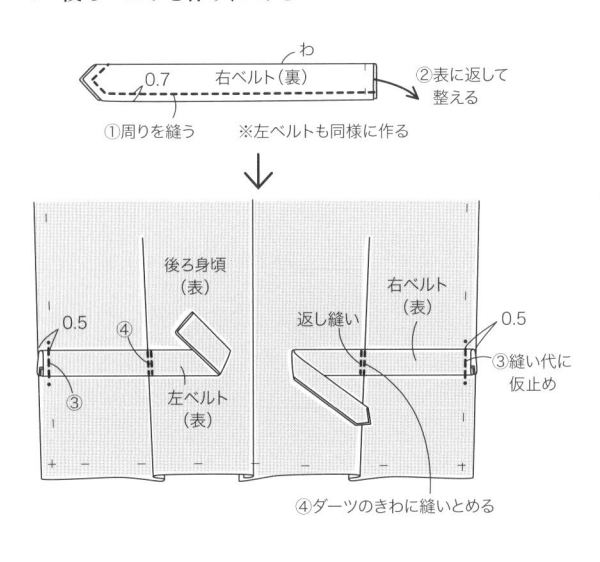

- ①周りを縫う
- 0.7 右ベルト(裏) わ
- ②表に返して整える
- ※左ベルトも同様に作る

- 後ろ身頃(表)
- 右ベルト(表)
- 左ベルト(表)
- 返し縫い
- 0.5
- ③縫い代に仮止め
- ④ダーツのきわに縫いとめる

10 後ろ身頃の衿ぐりと裾を縫い、前身頃を挟んで肩を縫う

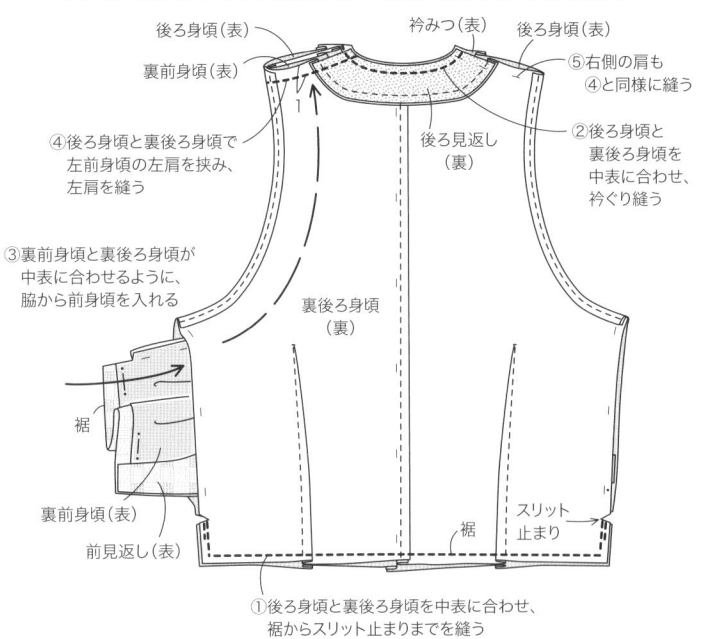

- 後ろ身頃(表)
- 衿みつ(表)
- 後ろ身頃(表)
- 裏前身頃(表)
- ⑤右側の肩も④と同様に縫う
- ④後ろ身頃と裏後ろ身頃で左前身頃の左肩を挟み、左肩を縫う
- 後ろ見返し(表)
- ②後ろ身頃と裏後ろ身頃を中表に合わせ、衿ぐり縫う
- ③裏前身頃と裏後ろ身頃が中表に合わせるように、脇から前身頃を入れる
- 裏後ろ身頃(裏)
- 裾
- 裏前身頃(表)
- 前見返し(表)
- 前身頃(表)
- 裾
- スリット止まり
- ①後ろ身頃と裏後ろ身頃を中表に合わせ、裾からスリット止まりまでを縫う

11 脇を縫う

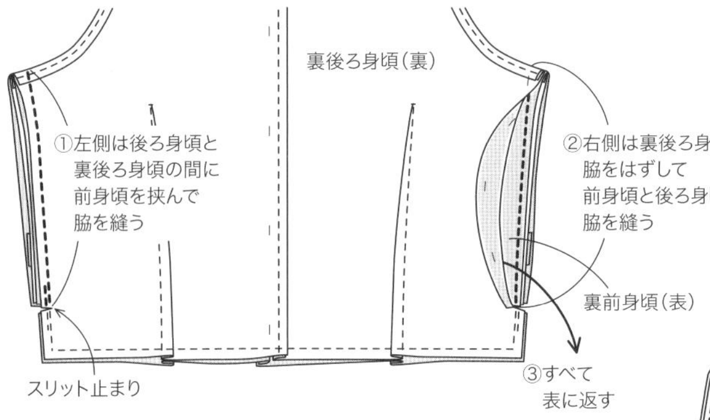

- ①左側は後ろ身頃と裏後ろ身頃の間に前身頃を挟んで脇を縫う
- 裏後ろ身頃(裏)
- ②右側は裏後ろ身頃の脇をはずして前身頃と後ろ身頃の脇を縫う
- 裏前身頃(表)
- ③すべて表に返す
- スリット止まり

12 衿ぐり、前端にステッチをかける

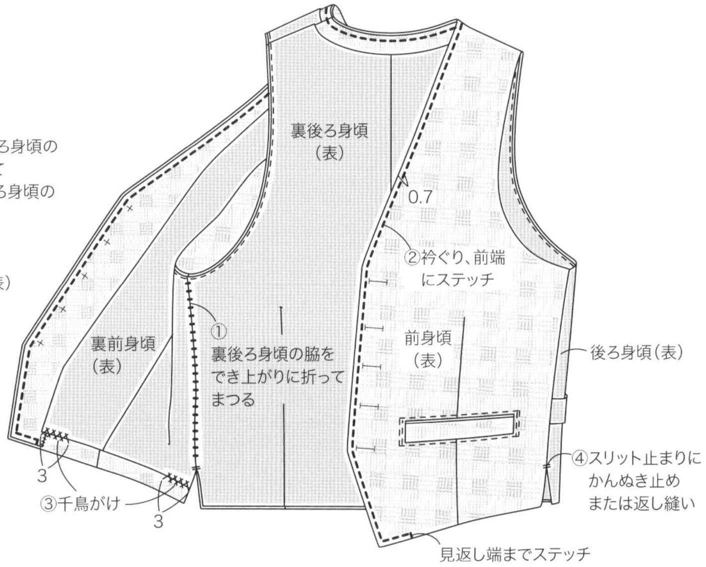

- 裏後ろ身頃(表)
- 0.7
- ②衿ぐり、前端にステッチ
- 裏前身頃(表)
- 前身頃(表)
- 後ろ身頃(表)
- ①裏後ろ身頃の脇をでき上がりに折ってまつる
- ③千鳥がけ
- 3 3
- ④スリット止まりにかんぬき止めまたは返し縫い
- 見返し端までステッチ

13 ボタンホールを作り、ボタンをつける

14 後ろベルトに尾錠をつける

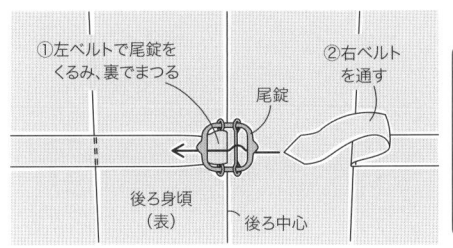

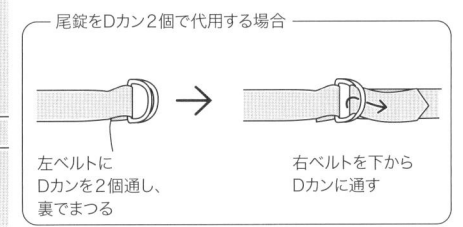

- ①左ベルトで尾錠をくるみ、裏でまつる
- ②右ベルトを通す
- 尾錠
- 後ろ身頃(表)
- 後ろ中心

尾錠をDカン2個で代用する場合
- 左ベルトにDカンを2個通し、裏でまつる
- 右ベルトを下からDカンに通す

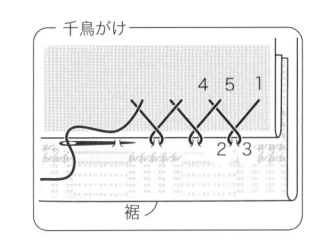

千鳥がけ
- 4 5 1
- 2 3
- 裾

87

S スタジャン P.50

[実物大型紙]

A面[S]

1 前身頃、2 後ろ身頃、3 外袖、4 内袖、5 見返し、6 衿、
7 向う布、8 袋布

[でき上がりサイズ]（左からS/M/L/LL/3L）

着丈　64/66/68/70/72cm

胸まわり　104/108/112/116/120cm

裄丈　82/84/86/88/90cm

[材料]

ウールフラノ（トップチャコールグレー）　145cm幅×110/110/120/140/140cm

ウールフラノ（オフホワイト）　148cm幅×60/60/70/70/70cm

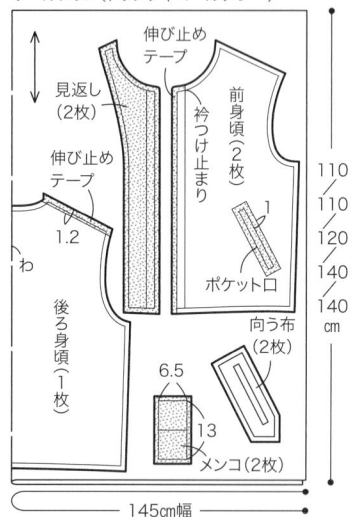

テレコニット（チャコール）　70cm幅×50cm

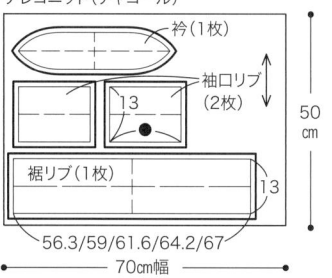

カラーブロード（黒）　110cm幅×35cm

接着芯　45×75cm

1.2cm幅の伸び止めテープ　40cm

1cm幅の伸び止めテープ　120cm

直径1.5cmのドットボタン　6組

好みのアップリケ　適宜

裁ち方図

★ ○の中の数字は縫い代。それ以外の縫い代は1cm

★ ▨は裏に接着芯、または伸び止めテープを貼る

★ 数字は順にS/M/L/LL/3Lサイズ

★ 袋布は2枚を中表に合わせて同型になるように左右対称に2組作る

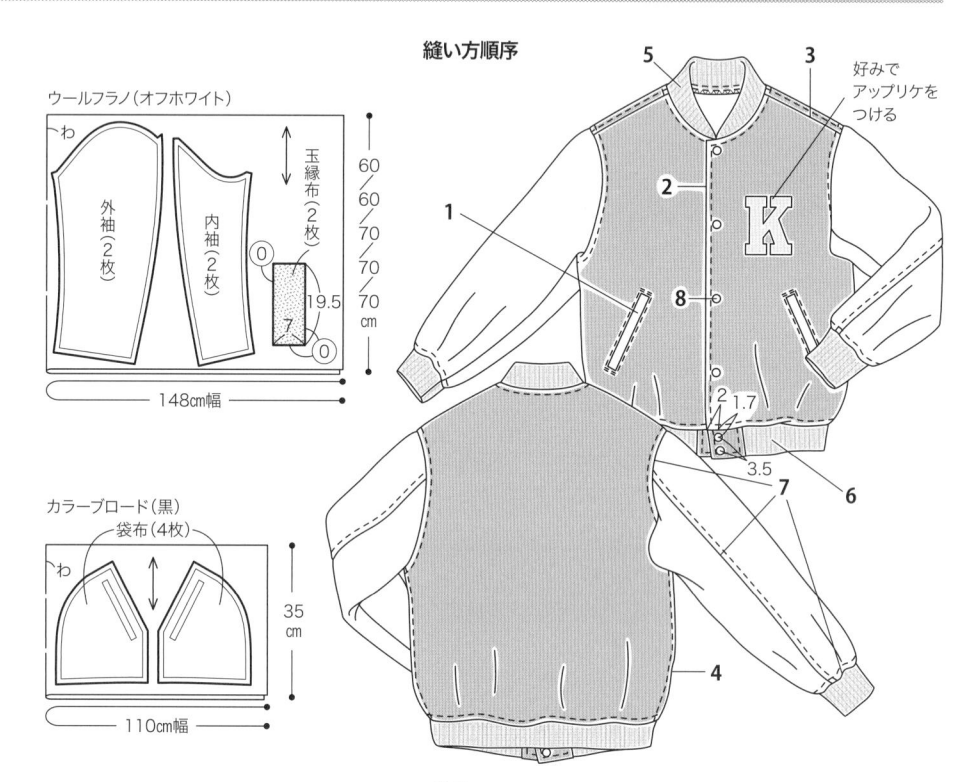

縫い方順序

準備　後ろ身頃の肩、前身頃の衿つけ止まりから裾に伸び止めテープを、見返し、前身頃のポケット口、メンコ、玉縁布に接着芯を貼る。（裁ち方図参照）

1 玉縁ポケットを作る

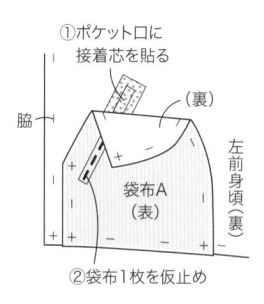

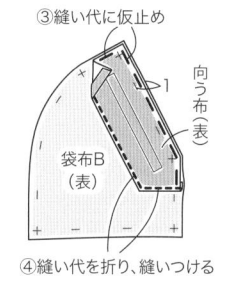

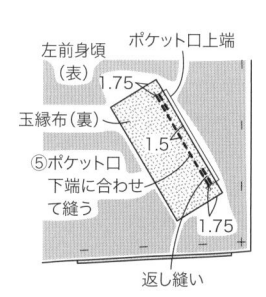

①ポケット口に接着芯を貼る

②袋布1枚を仮止め

③縫い代に仮止め

④縫い代を折り、縫いつける

⑤ポケット口下端に合わせて縫う

返し縫い

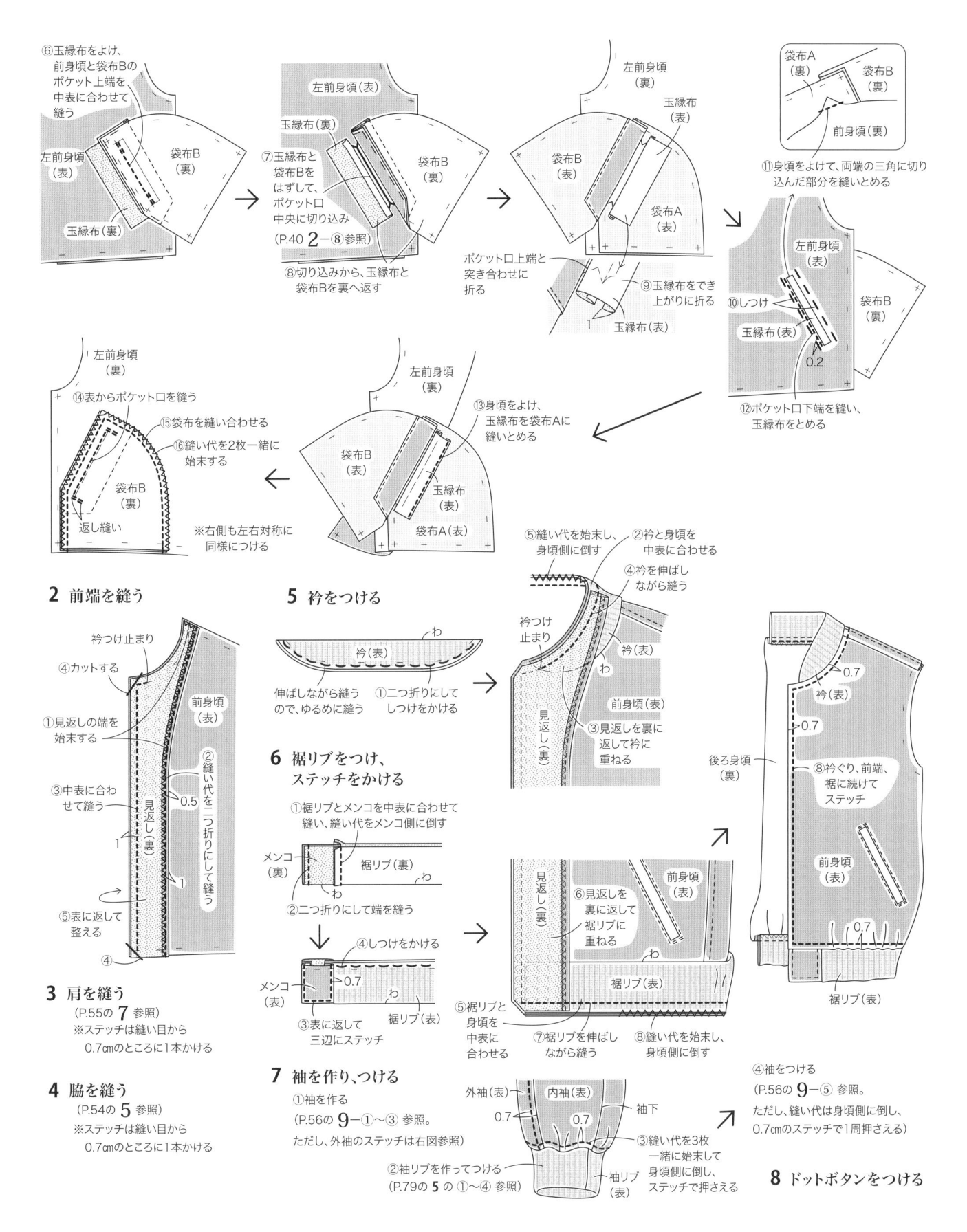

⑥玉縁布をよけ、前身頃と袋布Bのポケット上端を中表に合わせて縫う

左前身頃（表）
袋布B（裏）
玉縁布（裏）

⑦玉縁布と袋布Bをはずして、ポケット口中央に切り込み（P.40 2-⑧参照）
⑧切り込みから、玉縁布と袋布Bを裏へ返す

左前身頃（表）
玉縁布（裏）
袋布B（裏）

左前身頃（裏）
袋布B（表）
玉縁布（表）
袋布A（表）

ポケット口上端と突き合わせに折る
⑨玉縁布をでき上がりに折る
玉縁布（表）
1

袋布A（裏）
袋布B（裏）
前身頃（裏）

⑪身頃をよけて、両端の三角に切り込んだ部分を縫いとめる

左前身頃（表）
袋布B（裏）
⑩しつけ
玉縁布（表）
0.2

⑫ポケット口下端を縫い、玉縁布をとめる

左前身頃（裏）
⑭表からポケット口を縫う
⑮袋布を縫い合わせる
⑯縫い代を2枚一緒に始末する
袋布B（裏）
返し縫い

左前身頃（裏）
袋布B（表）
玉縁布（表）
袋布A（表）
⑬身頃をよけ、玉縁布を袋布Aに縫いとめる

※右側も左右対称に同様につける

2 前端を縫う

衿つけ止まり
④カットする
①見返しの端を始末する
③中表に合わせて縫う
⑤表に返して整える
見返し（裏）
前身頃（表）
②縫い代を二つ折りにして縫う
0.5
1
1
④

3 肩を縫う
(P.55の **7** 参照)
※ステッチは縫い目から0.7cmのところに1本かける

4 脇を縫う
(P.54の **5** 参照)
※ステッチは縫い目から0.7cmのところに1本かける

5 衿をつける

衿（表）
わ
伸ばしながら縫うので、ゆるめにしつけをかける
①二つ折りにしてしつけをかける

6 裾リブをつけ、ステッチをかける

①裾リブとメンコを中表に合わせて縫い、縫い代をメンコ側に倒す
メンコ（裏）
裾リブ（裏）
わ
②二つ折りにして端を縫う

④しつけをかける
メンコ（表）
裾リブ（表）
わ
0.7
③表に返して三辺にステッチ

7 袖を作り、つける
①袖を作る
(P.56の **9**-①～③ 参照。ただし、外袖のステッチは右図参照)
②袖リブを作ってつける
(P.79の **5** の ①～④ 参照)

外袖（表）
内袖（表）
袖下
0.7
0.7
③縫い代を3枚一緒に始末して身頃側に倒し、ステッチで押さえる
袖リブ（表）

⑤縫い代を始末し、衿と身頃を身頃側に倒す
②衿と身頃を中表に合わせる
④衿を伸ばしながら縫う
衿つけ止まり
衿（表）
わ
前身頃（裏）
見返し（裏）
③見返しを裏に返して衿に重ねる

⑤裾リブと身頃を中表に合わせる
見返し（裏）
前身頃（裏）
⑥見返しを裏に返して裾リブに重ねる
わ
裾リブ（表）
⑦裾リブを伸ばしながら縫う
⑧縫い代を始末し、身頃側に倒す

後ろ身頃（裏）
衿（表）
0.7
0.7
⑧衿ぐり、前端、裾に続けてステッチ
前身頃（表）
裾リブ（表）
0.7

④袖をつける
(P.56の **9**-⑤ 参照。ただし、縫い代は身頃側に倒し、0.7cmのステッチで1周押さえる)

8 ドットボタンをつける

Q カバーオール P.46

[実物大型紙]
D面[Q]
1 前身頃、2 後ろ身頃、3 外袖、4 内袖、5 見返し、6 表衿、7 裏衿、8 胸ポケット、9 腰ポケット、10 腰ポケット力布、11 当て布

[でき上がりサイズ]（左からS/M/L/LL/3L）
着丈　68/70/72/74/76cm
胸まわり　105/109/113/117/121cm
裄丈　80/82/84/86/88cm

[材料]
ツイル　110cm幅×250/260/270/290/310cm
接着芯　90cm幅×80cm
0.8cm幅の伸び止めテープ　40cm
1cm幅の伸び止めテープ　220cm
直径2cmのボタン　5個

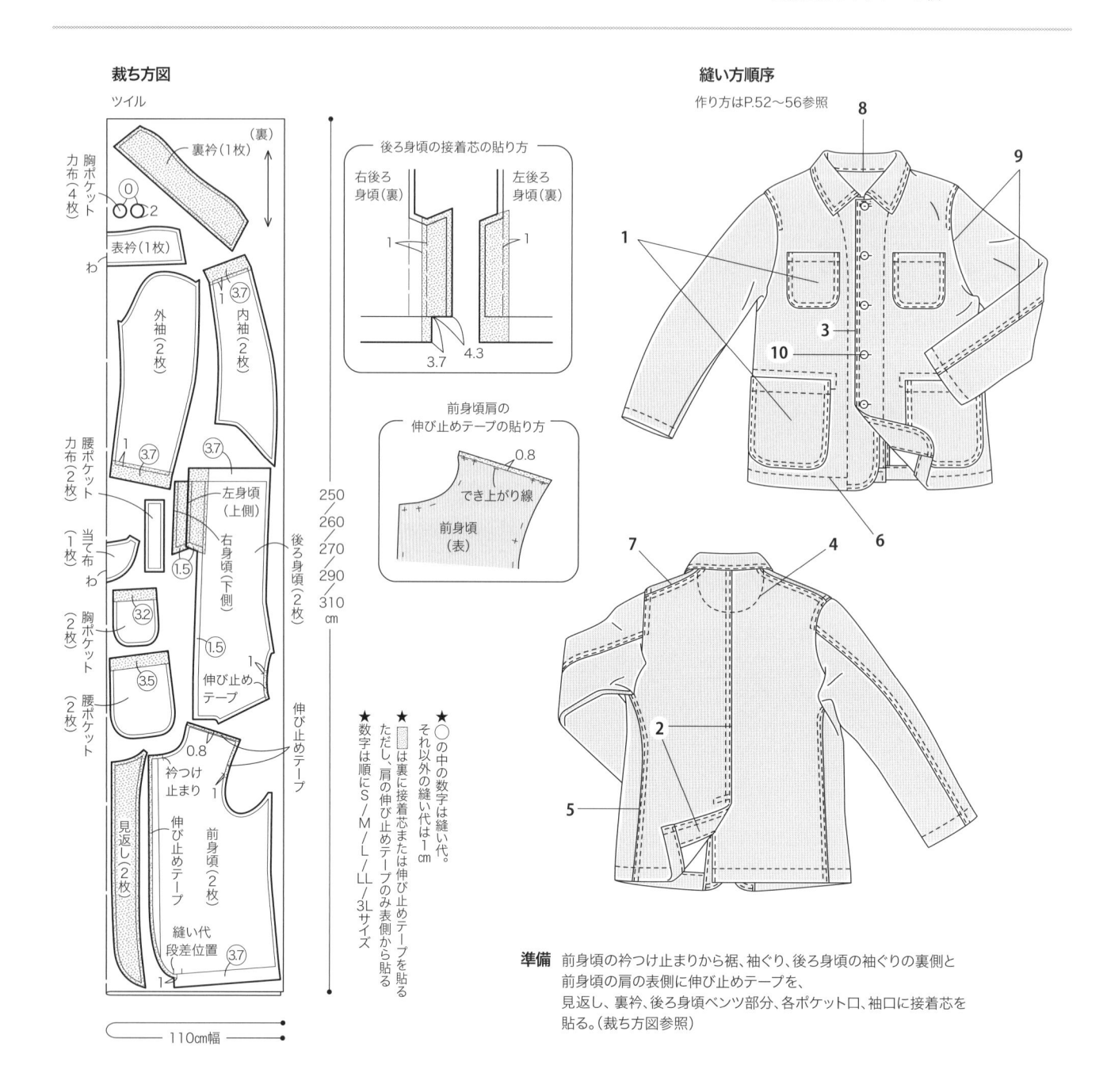

裁ち方図

縫い方順序
作り方はP.52〜56参照

準備 前身頃の衿つけ止まりから裾、袖ぐり、後ろ身頃の袖ぐりの裏側と前身頃の肩の表側に伸び止めテープを、見返し、裏衿、後ろ身頃ベンツ部分、各ポケット口、袖口に接着芯を貼る。（裁ち方図参照）

T パジャマ P.58

[実物大型紙]

D面[T]

1 前身頃、2 後ろ身頃、3 袖、4 衿、5 見返し、6 当て布、7 ポケット、8 カフス、9 前パンツ、10 後ろパンツ、11 比翼布

※前・後ろパンツの型紙は途中でつなげる

[でき上がりサイズ]（左からS/M/L/LL/3L）

着丈	69/71/73/75/77cm
胸まわり	109/113/117/121/125cm
裄丈	78.5/80.5/82.5/84.5/86.5cm
ウエスト	70/74/78/82/86cm
総脇丈	98.5/101/103.5/106/108.5cm

[材料]

先染ストライプ 108cm幅×445/455/465/475/485cm

直径1.75cmのボタン 5個

直径1.15cmのボタン 1個

接着芯 50×80cm

1.2cm幅の伸び止めテープ 40cm

2.5cm幅のゴムテープ 72/76/80/84/88cm

裁ち方図

縫い方順序

準備 後ろ身頃の肩に伸び止めテープ、表衿、カフス、見返し、比翼布に接着芯を貼る。（裁ち方図参照）

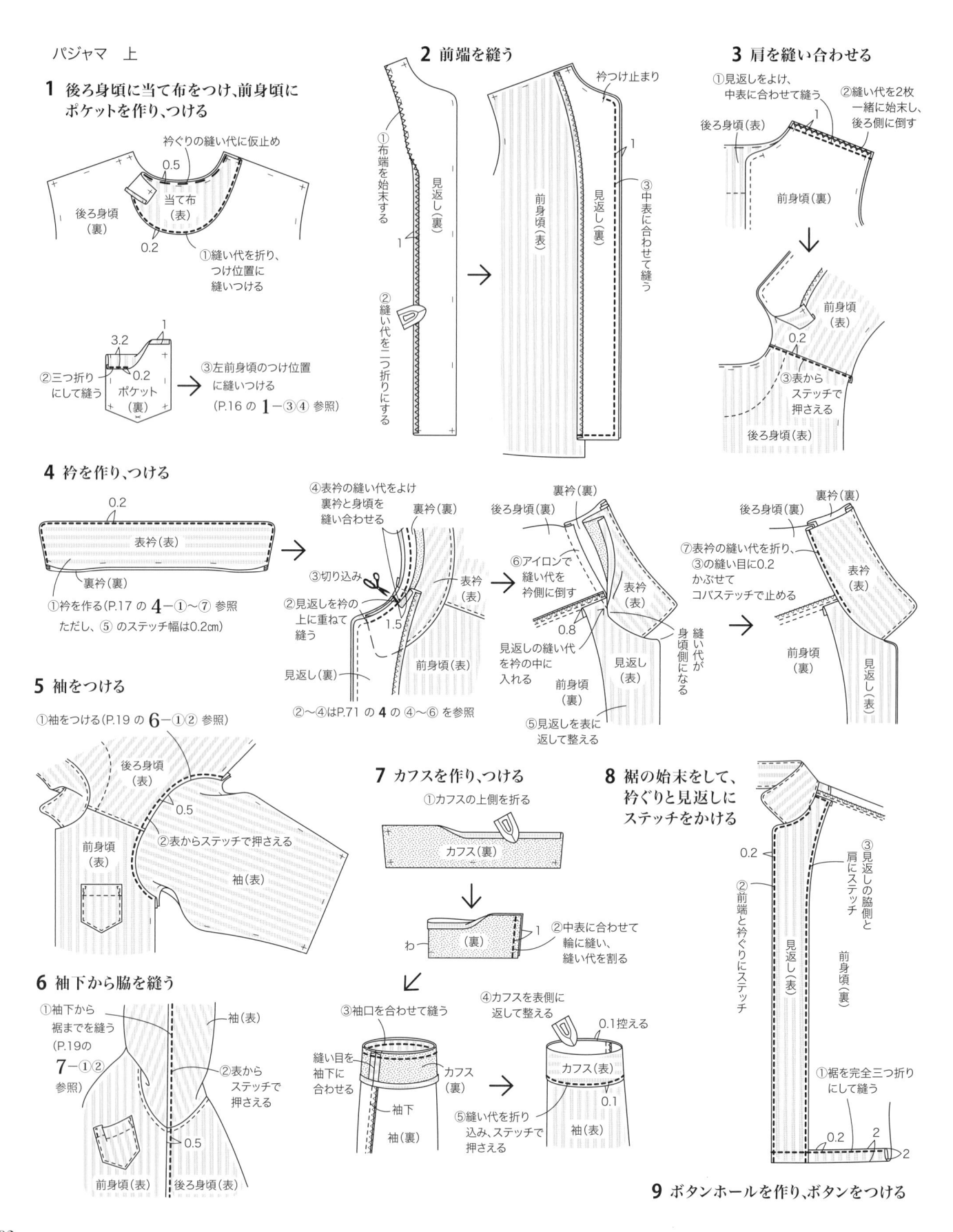

パジャマ　上

1 後ろ身頃に当て布をつけ、前身頃にポケットを作り、つける

- 衿ぐりの縫い代に仮止め
- 0.5
- 当て布（表）
- 後ろ身頃（裏）
- 0.2
- ①縫い代を折り、つけ位置に縫いつける
- 3.2
- 1
- 0.2
- ポケット（裏）
- ②三つ折りにして縫う
- ③左前身頃のつけ位置に縫いつける（P.16の1-③④参照）

2 前端を縫う

- ①布端を始末する
- 見返し（裏）
- ②縫い代を二つ折りにする
- 衿つけ止まり
- 1
- 見返し（裏）
- 前身頃（表）
- ③中表に合わせて縫う

3 肩を縫い合わせる

- ①見返しをよけ、中表に合わせて縫う
- ②縫い代を2枚一緒に始末し、後ろ側に倒す
- 後ろ身頃（裏）
- 前身頃（裏）
- 0.2
- ③表からステッチで押さえる
- 後ろ身頃（表）
- 前身頃（表）

4 衿を作り、つける

- 0.2
- 表衿（表）
- 裏衿（裏）
- ①衿を作る（P.17の4-①〜⑦参照）ただし、⑤のステッチ幅は0.2cm
- ④表衿の縫い代をよけ裏衿と身頃を縫い合わせる
- 裏衿（裏）
- ③切り込み
- ②見返しを衿の上に重ねて縫う
- 1.5
- 前身頃（表）
- 見返し（裏）
- ②〜④はP.71の4の④〜⑥を参照
- 裏衿（裏）
- 後ろ身頃（裏）
- 表衿（表）
- ⑥アイロンで縫い代を衿側に倒す
- 0.8
- 見返しの縫い代を衿の中に入れる
- 縫い代が身頃側になる
- 前身頃（裏）
- 見返し（裏）
- ⑤見返しを表に返して整える
- 裏衿（裏）
- 後ろ身頃（裏）
- ⑦表衿の縫い代を折り、③の縫い目に0.2かぶせてコバステッチで止める
- 表衿（表）
- 前身頃（裏）
- 見返し（表）

5 袖をつける

- ①袖をつける（P.19の6-①②参照）
- 後ろ身頃（表）
- 0.5
- ②表からステッチで押さえる
- 前身頃（表）
- 袖（表）

6 袖下から脇を縫う

- ①袖下から裾までを縫う（P.19の7-①②参照）
- 袖（表）
- ②表からステッチで押さえる
- 0.5
- 前身頃（表）
- 後ろ身頃（表）

7 カフスを作り、つける

- ①カフスの上側を折る
- カフス（裏）
- わ
- 1
- （裏）
- ②中表に合わせて輪に縫い、縫い代を割る
- ③袖口を合わせて縫う
- 縫い目を袖下に合わせる
- カフス（裏）
- 袖下
- 袖（裏）
- ④カフスを表側に返して整える
- 0.1控える
- カフス（表）
- 0.1
- 袖（表）
- ⑤縫い代を折り込み、ステッチで押さえる

8 裾の始末をして、衿ぐりと見返しにステッチをかける

- 0.2
- ③見返しの脇側と肩にステッチ
- ②前端と衿ぐりにステッチ
- 見返し（表）
- 前身頃（裏）
- ①裾を完全三つ折りにして縫う
- 0.2
- 2
- 2

9 ボタンホールを作り、ボタンをつける

パジャマ　下

1 前あきを作り、前股ぐりを縫う
(P.61参照)

2 後ろ股ぐりを縫う
- ①後ろパンツを中表に合わせて縫う
- ②2枚一緒に始末して、左側に倒す
- 後ろパンツ(表)
- 後ろパンツ(裏)
- 二度縫いする
- 15
- ③表からステッチで押さえる
- 0.5
- 後ろパンツ(表)

3 股下を縫う
- 前パンツ(表)
- 後ろパンツ(裏)
- ①前後パンツを中表に合わせて縫う
- ②2枚一緒に始末して、後ろ側に倒す
- ③表からステッチで押さえる
- 0.2

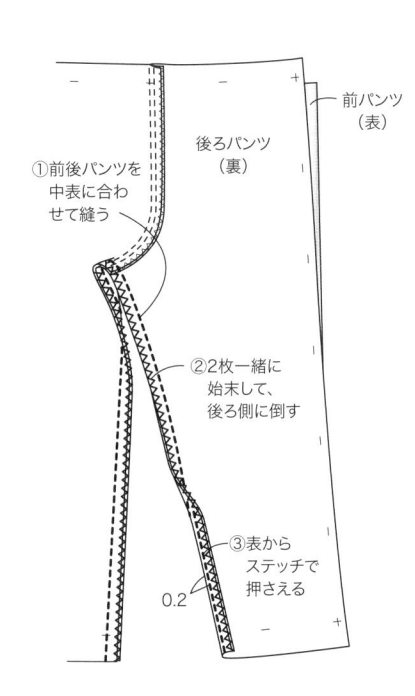

4 前股ぐりの縫い代を始末する
- 0.7
- 小股テープ(裏)
- ①四辺の縫い代を折る
- 左前パンツ(裏)
- 右前パンツ(裏)
- ②前股ぐりの接ぎ目に重ね、周りを縫う
- 小股テープ(表)
- 縫い代に合わせて重ねる

5 脇を縫う
- 前パンツ(表)
- 後ろパンツ(裏)
- ①前後パンツを中表に合わせて縫う
- ②2枚一緒に始末して、後ろ側に倒す

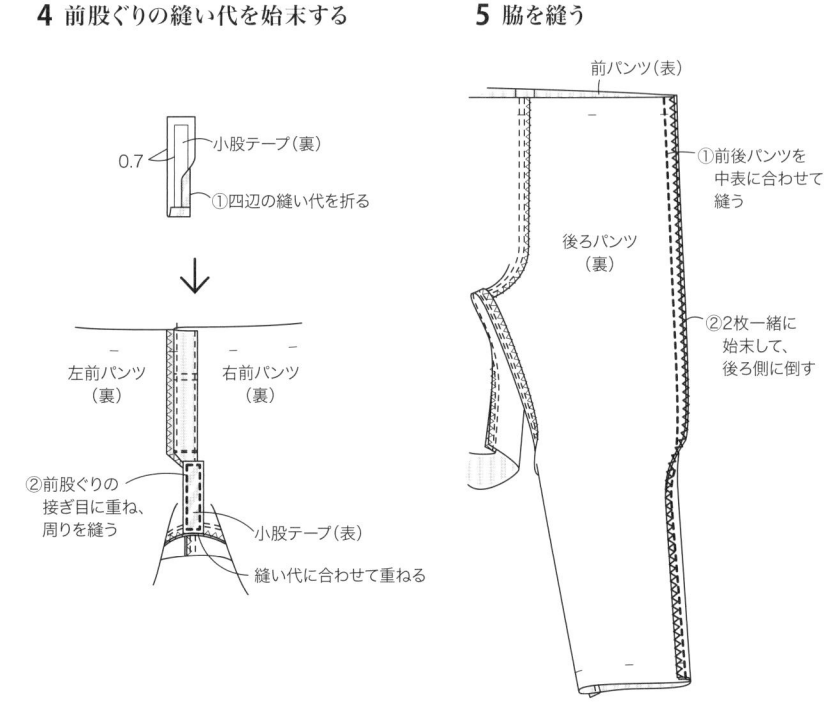

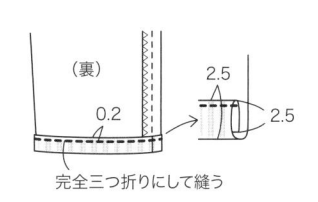

6 裾の始末をする
- (裏)
- 0.2
- 2.5
- 2.5
- 完全三つ折りにして縫う

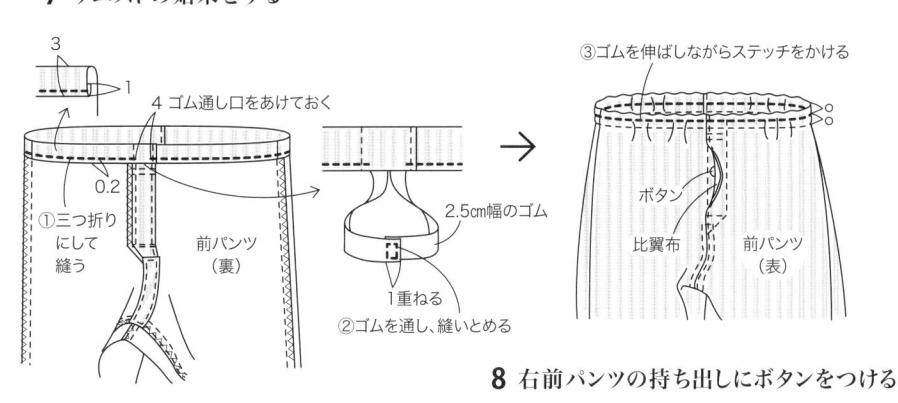

7 ウエストの始末をする
- 3
- 1
- 4 ゴム通し口をあけておく
- 0.2
- ①三つ折りにして縫う
- 前パンツ(裏)
- 2.5cm幅のゴム
- ①重ねる
- ②ゴムを通し、縫いとめる
- ③ゴムを伸ばしながらステッチをかける
- ボタン
- 比翼布
- 前パンツ(表)

8 右前パンツの持ち出しにボタンをつける

U ステテコ P.59

[実物大型紙]
B面[U]
1 前パンツ、2 後ろパンツ、3 比翼布

[でき上がりサイズ]（左からS/M/L/LL/3L）
ウエスト　70/74/78/82/86cm
総脇丈　70/72/74/76/78cm

[材料]
コットン　110cm幅×170/175/180/185/190cm
接着芯　15×25cm
2.5cm幅のゴムテープ　72/76/80/84/88cm
直径1.15cmのボタン　1個

縫い方順序

準備　比翼布に接着芯を貼る。(裁ち方図参照)
アイロンでウエストと裾の縫い代を折る。

8（P.61参照）

裁ち方図
コットン

後ろパンツ(2枚) ④
右前パンツ
左前パンツ
前パンツ(2枚) ④
小股テープ(1枚)
比翼布(1枚)

0.7
11.5
1.5
0.7

170/175/180/185/190cm
110cm幅

★○の中の数字は縫い代。それ以外の縫い代は1cm
★▨は裏に接着芯を貼る
★数字は順にS/M/L/LL/3Lサイズ

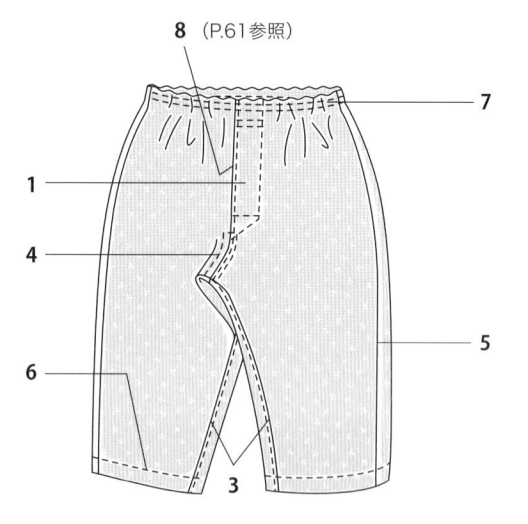

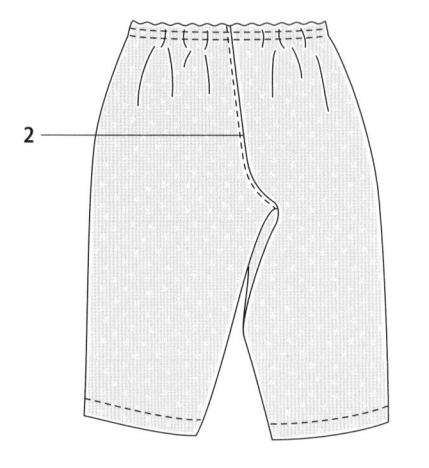

作り方は**T**パジャマ　下と同様(P.93参照)

V トランクス P.60

[実物大型紙]
A面［V］
1 前パンツ、2 後ろパンツ

[でき上がりサイズ]（左からS/M/L/LL/3L）
ウエスト　70/74/78/82/86cm
総脇丈　37.5/38/38.5/39/39.5cm

[材料]
ブロード　110cm幅×100cm
3cm幅のゴムテープ　72/76/80/84/88cm

裁ち方図

ブロード
- 左前パンツ（1枚）
- 右前パンツ（1枚）
- 小股テープ（1枚） 10.5 / 1.5 / 0.7 / 0.7
- 後ろパンツ（1枚）
- 110cm幅 × 100cm
- ○の中の数字は縫い代（2.4）。それ以外の縫い代は1cm

縫い方順序

1 前あきを作り、前股ぐりを縫う

① 左右パンツの前あきをアイロンで折り、ステッチをかける（P.61①〜④参照）
② 左前パンツを重ねて前あきを縫う（P.61の⑦参照）
③ 前股ぐりを縫う（P.61の⑧⑨参照）

2 脇→股下→裾の順に縫う

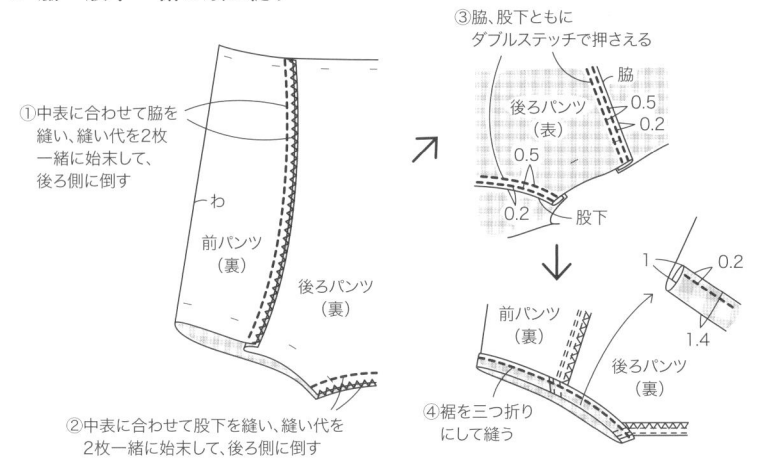

① 中表に合わせて脇を縫い、縫い代を2枚一緒に始末して、後ろ側に倒す
② 中表に合わせて股下を縫い、縫い代を2枚一緒に始末して、後ろ側に倒す
③ 脇、股下ともにダブルステッチで押さえる
④ 裾を三つ折りにして縫う

3 前股ぐりの縫い代を始末する（P.93の4参照）

4 ウエストを始末する

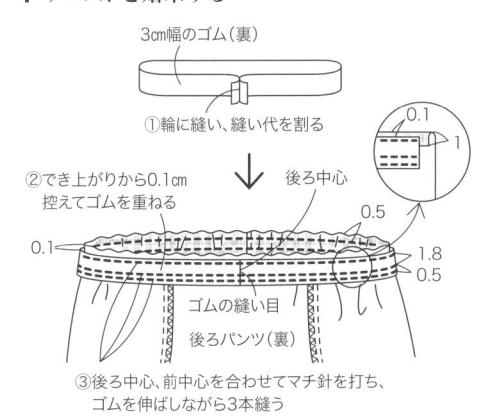

① 輪に縫い、縫い代を割る
② でき上がりから0.1cm控えてゴムを重ねる
③ 後ろ中心、前中心を合わせてマチ針を打ち、ゴムを伸ばしながら3本縫う

金子俊雄

千葉県出身。日本洋服専門学校裁断科卒業。松屋銀座の注文紳士服のアトリエで縫製技術を習得。(株)ハーバードを経て(株)ワールドでタケオキクチなどのパターンと技術を担当。2001年に(有)セリオを設立しアパレル企業向けパターン業務とネットで型紙ショップを運営する。

(有)セリオHP　http://seriopattern.web.fc2.com/
洋服の型紙屋さんフルールHP　http://www.katagami-fleur.com/

Staff

撮影	白井由香里（口絵）、森谷則秋、下江真貴子
デザイン	山田素子（スタジオダンク）
モデル	Akira KAMEYAMA（174cm、Mサイズ着用）
スタイリング	串尾広江
ヘアメイク	Aki
編集協力	金子エミ子、徳田なおみ
作り方解説	しかのるーむ
型紙グレーディング	(有)セリオ
型紙レイアウト	八文字則子
編集担当	加藤みゆ紀

オールシーズンのメンズ服

発行日／2015年 7月27日 第1刷
　　　　2025年10月 7日 第16刷
発行人／瀬戸信昭
編集人／森岡圭介
発行所／株式会社日本ヴォーグ社
　　　　〒164-8705 東京都中野区弥生町5丁目6番11号ヴォーグビル
　　　　TEL 03-3383-0644（編集）
出版受注センター／TEL 03-3383-0650　FAX 03-3383-0680
印刷所／株式会社東京印書館
Printed in Japan © Toshio Kaneko 2015
NV70297 ISBN978-4-529-05462-1

●本書の複製権・翻訳権・上映権・譲渡権・公衆送信権（送信可能化権を含む）は株式会社日本ヴォーグ社が保有します。

●JCOPY <（社）出版者著作権管理機構 委託出版物>
本書の無断複写は著作権法上での例外を除き禁じられています。複写される場合は、そのつど事前に、（社）出版者著作権管理機構（電話 03-5244-5088、FAX 03-5244-5089、e-mail: info@jcopy.or.jp）の許諾を得てください。

●万一、乱丁本、落丁本がありましたらお取り替えいたします。お買い求めの書店か小社出版受注センターへお申し出下さい。

◆素材協力

- アイリスのボタンギフト　http://www.rakuten.co.jp/iris/
- ism-ハンドメイド・副資材
  http://item.rakuten.co.jp/shop-ism/
- 大塚屋
  愛知県名古屋市東区葵3-1-24　TEL: 052-935-4531　http://otsukaya.co.jp/
- オカダヤ新宿本店
  東京都新宿区新宿3-23-17　TEL: 03-3352-5411
  https://shopping.okadaya.co.jp/shop/c/c10
- (株)KAWAGUCHI
  東京都中央区日本橋室町4-3-7　TEL:03-3241-2101
- クロバー(株)
  大阪府大阪市東成区中道3-15-5　TEL:06-6978-2277（お客様係）
- cottonroll　http://cottonroll.ocnk.net/
- jack&bean　http://www.jack-b.jp/
- SMILE　http://www.smilefabric.com
- (有)ティーエージー　http://tag0424.ocnk.net/
- (株)デコレクションズ　http://decollections.co.jp/
- 布地のお店ソールパーノ　http://www.rakuten.co.jp/solpano/
- fabric store　http://www.fabric-store.jp/
- パウスカートショップ　http://www.pauskirtshop.jp/
- シュゲール　http://shugale.com
- ブラザー販売(株)　愛知県名古屋市瑞穂区苗代町15番1号
  フリーダイヤル：050-3786-1134（お客様相談室）
- pelote　http://www.rakuten.co.jp/pelote/
- (株)ベビーロック
  東京都千代田区九段北1-11-11　TEL: 03-3265-2851
- 山冨商店
  大阪府大阪市中央区船場中央2-1-4-206
  SEMBAセンタービル4号館2階北通り
  TEL:06-6261-3211　http://yamatomi.biz/
- ユザワヤ商事(株)
  東京都大田区西蒲田8-23-5　TEL:03-3735-4141（広報部）
  http://www.yuzawaya.co.jp

◆撮影協力

- TRUNK
  東京都杉並区高円寺南3-57-4 ベルシャトウ高円寺102　TEL:03-3315-0388
  P.13 パンツ・靴、P.24 パンツ、P.36 靴、P.46 パンツ・靴
- OMNIGOD 代官山
  TEL:03-5457-3625
  P.11・12・27・48・49・51 パンツ、P.27 ニット帽

あなたに感謝しております　We are grateful.

手作りの大好きなあなたが、この本をお選びくださいましてありがとうございます。内容はいかがでしたか？　本書が少しでもお役に立てば、こんなにうれしいことはありません。日本ヴォーグ社では、手作りを愛する方とのおつき合いを大切にし、ご要望におこたえする商品、サービスの実現を常に目標としています。小社及び出版物について、何かお気付きの点やご意見がございましたら、何なりとお申し付けください。そういうあなたに、私共は常に感謝しております。

株式会社日本ヴォーグ社社長　瀬戸信昭
FAX 03-3383-0602

日本ヴォーグ社関連情報はこちら
（出版、通信販売、通信講座、スクール・レッスン）
https://www.tezukuritown.com/